DU MÊME AUTEUR

Du monde entier

SAUL BELLOW

UNE AFFINITÉ VÉRITABLE

roman

*Traduit de l'anglais
par Rémy Lambrechts*

GALLIMARD

Il est assez facile de voir ce que les gens *croient* fabriquer. Ce qu'ils manigancent en réalité n'est pas plus difficile à percer avec un peu de bon sens. Les répertoires ordinaires de stratagèmes, duperies, usurpations de personnalité, qui ne font que rabâcher l'abécédaire de la duplicité criminelle, ne méritent guère qu'on s'y arrête. Bien des années se sont écoulées depuis la dernière fois que j'ai trouvé quelque intérêt à la *Psychopathologie de la vie quotidienne*, et à sa théorie encore toute fraîche du « scénario caché ». Qu'un lapsus puisse vous ramener à l'espiègle *Ça* n'a plus à être prouvé. Je reconnais que Freud est l'un des hommes les plus astucieux qui aient jamais vu le jour, mais je n'ai pas plus d'usage pour son système que je n'en ai pour la montre de Paley – une métaphore de l'Univers, remontée au commencement, puis tictaquant durant des milliards d'années. Pour peu qu'une chose puisse être conçue, il se trouvera toujours quelqu'un (en l'occurrence, un ecclésiastique anglais du XVIIIe siècle) pour la concevoir.

Devenir célèbre n'a jamais fait partie de mes ambitions. Et je ne pense pas être très difficile à percer pour un bon observateur. Quand on m'interroge, je réponds que je vis à Chicago et que je suis en semi-retraite, mais je me garde de préciser quelle est ma partie. Non qu'il y ait grand-chose à cacher. Mais quelque chose en moi laisse entendre que si. J'ai l'air chinois. Après la guerre de Corée, on m'a envoyé étudier le chinois dans une école spécialisée. Peut-être mes talents exotiques ont-ils, par un obscur phénomène de suggestion, laissé une expression extrême-orientale sur mon visage. À l'école, les gosses ne m'ont jamais traité de « chinetoque » – et ils auraient fort bien pu, car j'appartenais à une catégorie ambiguë, j'étais un étranger, un orphelin. Mais cela aussi était trompeur. Mes parents étaient tous deux en vie. J'avais été placé dans un orphelinat parce que ma mère avait une maladie articulaire qui la promenait de sanatorium en sanatorium, le plus souvent à l'étranger. Mon père était un simple menuisier. Les factures étaient réglées par la famille de ma mère, ses frères étant d'opulents fabricants de saucisses et donc capables de lui offrir les cures qu'elle suivait à Bad Nauheim ou Hot Springs, Arkansas.

À l'école, je passais pour un des pupilles de l'orphelinat. Je ne trouvai pas l'occasion d'exposer ma situation particulière, et toutes les singularités de cette situation se fondirent dans la structure de mon visage – une tête ronde, des cheveux aussi longs que le tolérait l'Institution, une paire de gros yeux noirs, une large bouche aux lèvres charnues. Excellents matériaux pour jouer les fourbes Fu Manchu.

Le chemin qui ramène un homme à lui-même est un retour d'exil spirituel, car c'est à cela que se résume l'histoire personnelle – un exil. Je ne me permis pas de faire trop de cas de la lèvre chinoise. J'ai dû décréter que se préoccuper de sa propre image, la corriger, la revoir, la trafiquer, était une perte de temps.

À l'époque où je passais mes possibilités en revue, je croyais que je pourrais – je dis bien : pourrais – opérer un transfert dans une autre civilisation. Les Chinois ne me remarqueraient jamais, tandis que dans mon propre pays, avoir l'air vaguement chinois ne suffirait pas à éviter d'être découvert... je veux probablement dire : mis à nu.

Mais je ne tins que cinq années en Extrême-Orient ; dont les deux dernières en Birmanie, où je nouai d'importantes relations d'affaires, découvrant, alors que j'étais immergé dans une autre civilisation, que j'avais une sorte de don pour monter des opérations commerciales. Assuré d'un revenu jusqu'à mes vieux jours par mon affaire birmane, qui avait une succursale guatémaltèque, je retournai à Chicago, lieu de mes racines affectives.

Je cessai d'être un Chinois. Bien sûr, certains Occidentaux préfèrent être orientaux. Il y eut le célèbre ermite britannique de Pékin, si merveilleusement décrit par Trevor-Roper ; il y eut aussi Cohen-les-deux-calibres, le gangster de Montréal embauché comme garde du corps par Sun Yat-sen, qui ne souhaita jamais rentrer au Canada, semble-t-il.

Vous découvrirez bien vite que j'avais de solides raisons pour me réinstaller à Chicago. J'aurais pu aller ailleurs – à Baltimore ou à Boston, mais la différence entre villes n'est qu'un toujours-pareil, superficiellement masqué. À Chicago, j'avais des affaires affectives en souffrance. À Boston ou à Baltimore, j'aurais continué de penser, quotidiennement et régulièrement, à la même femme – à ce que j'aurais pu lui dire, à ce qu'elle aurait pu me répondre. Les « objets d'amour », comme la psychiatrie les a baptisés, ne se trouvent pas si fréquemment ni ne s'abandonnent si facilement. La « distance » n'est qu'une formalité. L'esprit ne s'en aperçoit pas vraiment.

Je revins à Chicago et j'ouvris un commerce sur Van Buren Street. Je formai mes employés à la faire tourner à ma place et je fus alors libre d'occuper mes jours avec des activités plus intéressantes. À ma propre surprise, je m'agrégeai à un cercle de gens singuliers. La principale menace en un lieu tel que Chicago est le vide – les brèches et les failles dans l'humain, une sorte d'ozone spirituel qui sent l'eau de Javel. Il émanait autrefois une telle odeur des tramways de Chicago. L'ozone est produit par la recombinaison de l'oxygène sous l'effet des rayons ultraviolets dans la haute atmosphère.

Je trouvai des moyens de me protéger de ce danger liminal (celui d'être aspiré dans le vide cosmique). Et bizarrement, je commençai à être invité en qualité de bon connaisseur de l'Orient. Du moins, les maîtresses de maison me voyaient ainsi – moi-même, je ne prétendais rien. Il n'était pas nécessaire de dire grand-chose.

Je m'installai dans un appartement en bordure de Lincoln Park. Et j'eus bientôt un coup de chance impressionnant. Je rencontrai le vieux Sigmund Adletsky et Mme lors d'un dîner. Adletsky est un nom immédiatement reconnu en tous lieux, comme ceux du prince Charles et de Donald Trump – ou, en d'autres temps, ceux du chah d'Iran et de Basil Zaharoff. Oui, Adletsky, le vieux Chef en personne, le colosse fondateur, l'homme sous l'égide duquel fut bâti l'incomparable complexe de palaces de la côte caribéenne du Mexique – parmi tant d'autres palais de rêve pour plages subtropicales sur tant de continents. Le vieil Adletsky avait à présent remis les clés de son empire à ses enfants et petits-enfants. Il n'aurait jamais perdu son temps avec un personnage de mon acabit s'il avait toujours été aux commandes des hôtels, des compagnies aériennes, des mines, des laboratoires d'électronique.

Le dîner auquel nous nous rencontrâmes était donné par Frances Jellicoe. C'était un Jellicoe qui commandait la Grande Flotte britannique lors de la bataille du Jutland (1916). La famille avait une branche américaine (au dire des Jellicoe d'Amérique), qui était fort riche. Frances, qui avait hérité d'une fortune, avait aussi reçu une collection de peintures où figuraient un Bosch, un Botticelli et plusieurs portraits de Goya, ainsi que quelques Picasso de mon espèce préférée – prolifération de nez et d'yeux. J'admirais (j'estimais) grandement Frances. Fritz Rourke, son mari et le père de ses deux enfants, avait divorcé d'elle, mais elle continuait de l'aimer, et pas de manière abstraite. Il était présent ce soir-là, ivre et tapageur, et le plus remarquable chez cet homme était la qualité ou la classe de l'amour que manifestait son ex-femme lorsqu'elle prenait sa défense. Plutôt corpulente, elle n'avait jamais été jolie. Ce soir-là, dans sa salle à manger du front de lac, son visage était enflammé et sa lèvre inférieure découvrait ses dents. Rourke fut bientôt ivre ; il devint rapidement impossible, brisant des verres. Elle prit position derrière la chaise de l'incontrôlable ex-mari en une silencieuse profession de désespoir, de militantisme, de fidélité. Eh bien, pour moi elle représentait un riche capital humain. Pas les millions de son patrimoine, mais sa personnalité – une personnalité de haute valeur.

Le vieil Adletsky était assis à ma table et lui non plus n'en perdait pas une miette. Sans doute, de tels incidents survenaient-ils rarement en la présence d'un homme aussi riche. Pour lui, ce qui s'était passé au cours du dîner devait être comme une réminiscence d'un lointain passé d'immigré. Être trilliardaire, c'est comme de vivre dans un environnement contrôlé, j'imagine. C'était un petit bonhomme, ratatiné par le grand âge. Déjà pas très grand au départ. Dans le Nouveau Monde, sa génération de mauviettes sous-alimentées produisait, dans un grand brassage d'immigrations, des fils de six pieds de haut et des filles opulentes. J'étais moi-même à la fois plus grand et plus fort que mes parents, bien que peut-être plus fragile intérieurement.

Je ne m'attendais pas à ce qu'Adletsky s'avisât de ma présence et je fus surpris, quelques jours après le dîner, de recevoir un mot du secrétaire du vieux monsieur. J'étais prié d'appeler son bureau afin de fixer un rendez-vous. Au bas du message, quatre mots de la propre main d'Adletsky : « Je vous en prie. » Près d'un siècle plus tôt, il avait appris à écrire en caractères cyril-

15

liques ou, plus probablement, hébraïques, à en juger par les volutes du « J » initial.

Parfaitement rodé au système Adletsky, le secrétaire responsable de son agenda fut incapable de me dire, au téléphone, pourquoi il m'était demandé de venir. J'allai donc lui rendre visite dans sa tanière de verre, une suite de bureaux trônant au sommet d'un immeuble. Je descendis dans le centre-ville et je fus conduit à un ascenseur express, commandé par une clé spéciale. Ce voyage éclair me rappela les tubes pneumatiques qui reliaient autrefois les vendeurs des grands magasins aux caissiers. Les bordereaux de vente et les dollars étaient aspirés par le tube, et – *clic-clac* – voici votre nouvelle paire de chaussettes et voilà votre monnaie.

On ne rencontre plus un patron derrière son bureau. On prend place avec lui sur un canapé. À côté de vous se trouve une table basse avec un expresso et un sucrier.

Je sentis que mon visage se figeait sur la défensive devant l'examen d'Adletsky. Le vieil homme n'avait aucun besoin de poser des questions personnelles. Ma vie et mes œuvres avaient été passées au crible par ses collaborateurs. Manifestement, j'avais survécu au test préliminaire. Il avait été si parfaitement renseigné qu'il ne serait pas question de mes origines, de mon éducation, de mon parcours – Dieu merci.

Il dit : « Le nom de Jim Thorpe a été mentionné lors du dîner de Frances Jellicoe et vous étiez le seul à savoir de quelle université venait ce merveilleux athlète...

– Carlisle, dis-je. En Pennsylvanie. Une école indienne.

– Vous ne vous intéressez pas particulièrement à cela ; il se trouvait simplement que vous le saviez. Avez-vous ainsi en tête un grand nombre d'informations générales ? Excusez la question, monsieur Trellman, mais quand la Réserve fédérale a-t-elle été fondée ?

– En 1913 ?... Appelez-moi donc " Harry ". »

Je voyais bien qu'il était satisfait, même si dans la lumière éclatante qui inondait le bureau je sentais que toutes mes « préparations » volaient en éclats. Préparations ? Eh bien, le titre américain du célèbre livre de Stanislavski est *Un comédien se prépare.* Tout un chacun se prépare et attribue aux autres un pouvoir de juger, leur reconnaît la maîtrise de normes qui pourraient bien être imaginaires.

Je coulissai vers la partie ombragée du canapé.

Ce qu'Adletsky avait tiré de moi jusque-là était un savoir hétéroclite, de l'espèce qui sert à résoudre les mots croisés. Bien sûr, tout cela n'était qu'un préliminaire. Il se comportait en technicien inspectant le prototype d'un appareil du dernier cri. Qu'aurait dit un médecin d'une créature aussi petite, vieille et ridée qu'Adletsky ? Et aussi riche. Hyperriche. Riche au-delà de l'entendement de la majorité des gens. Du mien aussi. Avec autant de blé, me disais-je, on court-circuitait la démocratie. On manifestait sa reconnaissance à l'Amérique démocratique et capitaliste des possibilités qu'elle vous avait offertes ; en même temps, au plus profond de soi-même, on a pris son envol par ses propres moyens, on se conçoit comme un pharaon, le représentant du soleil.

« Je voulais vous parler de Frances Jellicoe, dit-il.

– Je vous demande pardon ?

– Son dîner. J'ai toujours apprécié Frances. Vous la voyez souvent ?

– Non. Elle m'a acheté quelques objets chinois...

– Vous en faites le commerce.

– Des antiquités...

– Allons ! Que vous importez en mauvais état de Chine et que vous faites rafistoler à Guatemala City par une main-d'œuvre sous-payée.

– Vous avez enquêté sur moi », dis-je. Non pas que cela m'embarrassât ; mon affaire, mon trafic, était suffisamment légal.

« Rien à y redire, dit Adletsky. Je vous ai vu regarder, chez Frances.

– Un moment pénible à passer, dis-je.

– Oui, le mari – l'ex – est un médiocre, un bon à rien patenté. La mère de Frances était ce que la *Tribune* d'autrefois appelait " un phare de la vie mondaine ". Les Potter Palmer, les Mc-Cormick et autres MacMachin dont les maris étaient présidents de conseils d'administration et les filles allaient au " bal des débutantes " – Frances était de ce monde-là.

– Oui, j'ai rencontré des dames qui l'avaient connue à l'école des arts d'agrément. Elle *a été* une douce et frêle créature, autrefois... »

Il me dévisagea étrangement quand je dis « frêle créature », comme s'il était étonné qu'un homme de mon apparence pût formuler les choses de pareille manière. « Vous voulez dire qu'aujourd'hui elle est bâtie comme un tonneau à choucroute, dit Adletsky.

– Cela étant, sa santé est très mauvaise – elle est fragile, sa vie est en danger. Elle a cette bouf-fissure de la cortisone qui la fait ressembler à Babe Ruth.

– Bien sûr ; la description est tout à fait exacte.

– Vous n'avez pas besoin de moi, monsieur Adletsky, dis-je. Pas avec ce service de renseigne-ments qui vous a appris tout ce qu'il y avait à savoir sur le versant guatémaltèque de mon affaire.

– Oui, dit-il. Mais vous ne disposez pas de tels moyens. Vous êtes obligé de réfléchir, vous devez relever et assembler les faits par vous-même. Ce Rourke, l'ex-mari, s'est proprement sabordé. Voilà un cadre supérieur – il a mis enceinte une étudiante du Groenland, une Esquimaude. Et elle l'a poursuivi. Exact ? Sacrée histoire. C'était dans les journaux.

– Frances et Rourke sont divorcés depuis des années. Mais il continue à siéger dans plusieurs conseils d'administration.

– Poursuivez, dit Adletsky. Nous avons tous deux une haute opinion de Frances. Et nous ne lui causerons aucun tort en parlant sans fard.

– Le père de Frances était un associé d'Insull, dis-je. Et son grand-père un fondateur de Commonwealth Edison. Elle a fait entrer Rourke dans une demi-douzaine d'autres conseils d'administration.

– En parasite. Un poids-mort comme bien des firmes en charrient.

– Ils se sont débarrassés de lui quand l'Esquimaude a dit qu'elle allait avoir un bébé de lui, dis-je. Le but de ce dîner était de réintégrer Rourke dans la vie mondaine.

– Pour le bien de ses enfants ?

– Dans une certaine mesure, dis-je. Mais elle cherchait aussi à imposer sa volonté. À obtenir satisfaction.

– Elle n'en a plus pour longtemps en ce monde, dit Adletsky. Et elle s'est mariée par amour.

– Il y a cette puissante machine féminine que nous appelons Frances, et elle a tout investi dans ce mufle.

– Rien d'autre ne permet d'expliquer ce qui

s'est passé l'autre soir. Auriez-vous la bonté de décrire l'événement tel que vous l'avez vu ?

– Très bien », dis-je, mieux disposé que je ne le suis d'ordinaire à m'exprimer. En règle générale, je répugne aux déballages. Je n'ai jamais agi de la sorte – franchement, ouvertement. Je sentis, cependant, que le vieil Adletsky m'avait ouvert une porte, pour des raisons que j'avais du mal à comprendre, et qu'il serait malavisé de refuser d'entrer. Pas offensant, mais, en un sens, discourtois. « Elle avait invité des personnalités du monde des affaires. J'étais assis à côté du vieil Ike Cressy de la Continental Bank. C'est plus ou moins dans le même but que vous étiez là.

– Nous ne voulons rien avoir à faire avec des individus tels que cet ex-mari.

– De cela, vous êtes seul juge, mais vous étiez convié pour accroître la solennité de l'occasion.

– Et vous-même ?

– Je représentais les arts. Elle possède des tableaux de classe mondiale. Il y avait un type de Sears Roebuck. Et puis un juge fédéral et Machinchose de la Bourse de commerce. Avec leurs épouses, bien sûr. »

Et Rourke, qui buvait et faisait le zouave. Il était brusque et hargneux – agressif. Il avait vidé quelques bouteilles de vin et fait un discours dénonçant les clandestins mexicains et les immigrés asiatiques. Il disait qu'il y avait déjà bien trop de gens inacceptables dans le pays.

Puis, en gesticulant, il avait balayé les verres qui se trouvaient de son côté de la table, brisant une partie d'entre eux. Il me revint en mémoire que le petit scotch-terrier blanc de Frances n'était pas encore parfaitement propre. Lors d'une précédente visite, je l'avais vu lever la patte contre les jupes des fauteuils et des canapés.

« Quant à Cressy : il a lancé la conversation sur Shakespeare à son bout de table. Il disait que l'enseignement secondaire s'était cassé la gueule et que l'une des raisons était qu'on ne faisait plus apprendre de poésies aux gosses. Il a donné l'exemple de cet homme d'affaires new-yorkais qui avait été enlevé. Deux de ses employés avaient creusé un trou – enfin, une tombe. Ils l'avaient attrapé et fourré là-dedans sous une plaque de tôle. Le type croyait bien sûr que c'en était fini – qu'il ne reverrait plus jamais la lumière du jour.

– Bel exemple de barbarie, dit Adletsky. Pensez-vous que ceux qui commettent un tel crime aient une quelconque idée de ce que c'est – être enterré vivant ?

– Ils n'en ont peut-être pas la capacité. Mais ce que disait Cressy, c'était que les poésies que le vieux bonhomme avait apprises à l'école l'avaient maintenu en vie. »

Les banquiers aiment à citer Hamlet :

N'être jamais ni prêteur ni emprunteur,
Car le prêt souvent se perd et perd l'ami,
Et l'emprunt émousse le fil de l'économie.

Je ne discutai pas de cela avec Adletsky. Il n'avait que faire de tels apartés. Ce qu'il désirait, c'était mon commentaire sur ce qui s'était passé lorsque Frances avait pris son appareil photo sur la desserte.

« Vous regardiez. Vous avez vu. Elle a fait grouper tous les invités pour une photo.

– Cressy ne voulait pas y figurer. Pas en compagnie de Rourke, dis-je.

– Vous avez donc remarqué cela », dit Adletsky.

Il était content de moi. « Qui d'autre que vous et moi a vu qu'une bataille se livrait, Cressy qui détournait la tête quand elle appuyait sur le bouton de l'appareil ? Et trois fois elle n'a eu que l'arrière de son crâne.

– C'était le seul et unique objet de ce dîner. Elle s'est avancée vers Cressy et l'a saisi par le poignet – l'a obligé à la regarder dans les yeux.

– Bien peu de gens ont le sens de l'observation, n'est-ce pas ? dit Adletsky. Bien que tout le monde ait su l'histoire de Rourke et de la fille qui étudiait pour être sage-femme. C'était dans le *Sun Times*. Frances était furieuse contre la presse. Elle méprise les gens comme Cressy. J'ai cru qu'elle allait l'assommer. Elle a presque la carrure. Lui, il n'est pas bien fort, hein ? poursuivit Adletsky. Il a un préservatif sur le cœur. Il n'y a rien d'humain chez les banquiers.

– Voilà, dis-je, son seul et unique motif était de réhabiliter le père de ses enfants.

– Non. Elle aime ce butor de Rourke. Tout homme digne de ce nom serait fier de jouir de la fidélité d'une nana comme Frances. Et il fallait que ce soit Cressy, avec Rourke, qui sourie à l'appareil. Qu'est-ce que je représente en termes mondains, moi, un vieux Juif – ou même le type de chez Sears ? Je pourrais tirer un meilleur homme que lui d'un bout de bois... Qu'est-ce que c'est que ce nom, Cressy ?

– Cela pourrait venir de Crécy, un champ de bataille en France. »

Adletsky n'avait rien à faire d'encadrés didactiques.

« Elle n'a pas obtenu satisfaction, la pauvrette », dit-il.

Tout indiquait que Frances était sur la pente descendante. La nourriture était médiocre, le linge de table n'était pas à la hauteur, et le « personnel » non plus ; le toutou pissait contre les canapés. Son teint, lorsque Cressy la contraria, vira à une sorte de rouille boueuse.

« Je gardais un œil sur vous tandis que vous observiez la scène, dit Adletsky. Je n'ai guère eu de temps pour la vie mondaine ou les questions psychologiques. Mais j'en ai fini à présent avec les manœuvres, les acquisitions – j'ai quitté le feu des affaires. Je peux sortir avec mon épouse dans *son* monde. Enfin, je me disais que j'aimerais faire la connaissance d'une personne telle que vous – un observateur de première classe, manifestement. »

Il n'y avait rien que je pusse répondre à cela. Devais-je lui dire que j'étais désolé que sa vie active fût finie – qu'il fût dans la pénurie relationnelle ?

« J'aime la façon dont vous reconstituez les histoires, reprit Adletsky. Dans la conduite de mes affaires, j'ai essayé d'imiter Franklin D. Roosevelt sur un point. J'ai trouvé que c'était une bonne idée que d'avoir un brain-trust. En 33, il a réuni ses professeurs autour de lui. Il fallait innover, ou le pays sombrait... »

Son anglais avait progressé en même temps que ses perspectives de promoteur à l'échelle planétaire. Lui, ses fils dressés aux affaires et ses filles diplômées de droit à Yale s'étaient hissés de sphère en sphère, sans limite à leur adaptabilité.

« Vous aviez donc un brain-trust à la Roosevelt ?

– Non. J'avais des gens qu'il m'était profitable de consulter, et j'aimerais convenir de rencontres occasionnelles avec vous pour avoir vos lumières sur une chose ou l'autre. Je n'aurais jamais cru que parmi toutes les personnes présentes, seuls vous et moi comprendrions le bras de fer de Frances avec Cressy. »

Il avait raison. Peu de gens sont capables de saisir pareils incidents.

« Je ne suis pas si bon que cela en affaires, dis-je.

– Pour les affaires, je n'ai aucun besoin de vous. N'essayez même pas de me donner un conseil. Je vous inviterai seulement de temps à autre. Durant mes années d'activité, je me suis très peu mêlé à la vie mondaine. Il faut que je le fasse à présent. Et il doit y avoir moyen de rendre cela plus agréable. »

Je dis, avec ma réserve habituelle, que je serais très heureux de faire partie de son brain-trust.

« Vous pourrez satisfaire votre curiosité à mon sujet, vous aussi, dans une certaine limite, dit-il. Bien sûr, vous devrez être discret. Mais je pense que vous gardez déjà des milliers et des milliers de choses pour vous. Vous en avez l'air. Vous a-t-on jamais dit à quel point vous aviez l'air japonais ?

– Chinois, j'ai toujours pensé.

– Japonais », insista-t-il.

En rentrant chez moi, je me déshabillai et m'examinai dans le miroir en pied de la salle de bains. Le vieil homme avait raison, vous savez. J'ai des jambes japonaises, droit sorties d'une scène de bain d'Hokusai. Les cuisses sont musculeuses et les jarrets concaves. J'aurais l'air encore plus japonais si je me coupais les cheveux et portais la frange. Je commençai à revoir mon image en ce sens.

Des années durant, depuis, j'ai rencontré Sigmund Adletsky et d'autres membres de la famille auxquels il m'avait recommandé et qui souhaitaient mon conseil, généralement sur des questions de goût.

J'ai appris une chose lors de mes contacts avec le vieil homme : une richesse aussi insondable ne peut avoir d'équivalent humain adéquat. Il est très âgé maintenant et tout petit – assez léger pour s'envoler dans l'éternité. Ses fils et ses petits-fils, cependant, continuent de lui rendre compte. Son jugement en matière d'affaires, à l'ancienne mode, est aussi sûr que jamais. La nouvelle donne économique mondiale n'est guère familière au fondateur. Quant à ses descendants, il me confia un jour : « C'est *moi* à présent leur brain-trust. »

Venant d'un horizon entièrement différent de celui de Frances Jellicoe ou de Sigmund Adletsky, il y a une personne, une femme, dont le nom est Amy Wustrin. Je suis brièvement sorti avec elle au lycée. Amy connaissait, peut-être, l'étendue des sentiments qui avaient fleuri à la suite de tous ces serrements de mains, de ces papouilles, de ces caresses – les effets sur moi de cette capiteuse intimité. Il est bien sûr impossible de deviner ce que les gens savent les uns des autres.

Quand elle avait une douzaine d'années, je la regardais sur ses patins à roulettes – roulant vers la puberté. Et au lycée, à quinze ans, au bal costumé annuel, où elle portait des collants et des talons hauts, je vis ses cuisses pleinement féminines, l'éclat et la douceur de la maturité sexuelle sur ses joues et dans ses yeux marrons : elle émettait des messages dont elle n'avait peut-être même pas conscience.

Objet d'amour serait le terme adéquat le plus simple pour désigner ce qu'Amy devint pour moi. Mais où cela nous mène-t-il ? Imaginez qu'au lieu d'« objet d'amour » vous disiez « porte » – quel genre de porte ? A-t-elle un bouton, est-elle vieille ou neuve, lisse ou éraflée ; mène-t-elle quelque part ? Un demi-siècle de sentiment est investi en elle, de fantasmes, de spéculations et d'obsessions, de conversations imaginaires. Après quarante ans d'intense rêverie, je me sens capable de me la représenter à tout instant de n'importe quelle journée. Quand elle ouvre son sac pour chercher les clefs de chez elle, j'ai conscience des arômes de chewing-gum à la menthe qui s'en échappent. Quand elle est sous la douche, je peux vous dire comment elle présente son profil au jet d'eau. C'est une femme mûre à présent. Cela fait trente ans que je n'ai pas vu son corps nu, sujet aux changements habituels, comme le mien – plus japonais que je ne l'aurais pensé si Adletsky ne me l'avait fait remarquer.

Mais un jour, il y a une dizaine d'années de cela, je tombai sur Amy et je ne la reconnus pas – la femme avec qui j'étais en contact mental quasi quotidien. Je tombai sur elle à la lisière du Loop, sous les voies du métro aérien de Wabash Avenue. Je passais quand elle m'arrêta, se planta devant moi en disant : « Tu ne me reconnais pas ? »

Bien que je puisse être très crâne devant les impairs mondains ordinaires, je sentis que cet échec était gravissime.

Pour elle, ce fut un choc terrible. Elle lança : « Espèce de sagouin ! » Sous-entendant que si *moi*, je ne la reconnaissais pas, elle n'était plus elle-même. Elle aussi, qui continuait de présenter, ou, comme nous disons, de « vendre » celle-qu'elle-avait-toujours-été, était prise en flagrant délit de mensonge.

« Qui suis-je ! » lança-t-elle.

Je secouai la tête. J'aurais *dû* savoir qui elle était. Mais je ne le savais pas – je ne pouvais identifier cette femme en colère.

« Amy ! » dit-elle d'une voix furieuse.

Je la voyais maintenant. C'était donc comme ça. Elle était dans le monde réel. Moi non. « Hé, du calme, Amy, dis-je. Depuis tout le temps que nous nous connaissons, jamais je ne t'ai croisée au centre ville. Et sous la voie du métro aérien, quand le temps est plombé, tout vire au gris. »

Parce qu'elle avait le visage aussi gris qu'une bonne à tout faire – qu'une mère surmenée. Elle était sortie faire une course rapide, rendre une paire de chaussures au sujet de laquelle sa fille aînée avait changé d'avis. Le gombo urbain épais et desséché des ténèbres de Lake Street donnait à tout un sale aspect. Oui, elle était impossible à identifier sous les poutrelles noires. De plus, ses problèmes avec son mari, Jay, étaient aigus à ce moment-là et elle craignait de n'être pas regardable. Elle était plus mûre. Ou contenue. Je cherche une manière diplomatique de le dire. Personne ne fait de commentaire sur les changements de mon apparence. Mes gros yeux et mes lèvres chinoises restent semblables à eux-mêmes. Depuis le départ, il n'y avait rien à retirer de moi.

Mais elle savait qu'elle avait compté dans ma vie et que j'étais en contact mental ininterrompu avec elle. Je la conservais telle qu'elle avait été à l'âge de quinze ans. Donc ne pas être reconnue alors que nous étions face à face devait signifier qu'elle était complètement foutue. J'étais choqué, moi aussi.

Je me dis : « Edgewater 5340 ». Tel avait été, avant l'apparition des préfixes numériques, son numéro de téléphone. Elle était, me semble-t-il, la seule fille à qui j'avais jamais rendu visite. Je ne faisais pas un fameux prétendant. Quand j'avais sonné à la porte de chez elle, sa mère avait semblé surprise. J'aurais dû être le garçon de course du pressing, venu prendre les corsages.

Mais Amy avait décroché son manteau de marmotte du portemanteau de l'entrée et coiffé la toque qui allait avec. Elle avait un style bien à elle en matière de chapeaux – elle les portait calés en arrière du front. Il y a des fronts qui ne peuvent supporter la pression d'un ruban de chapeau.

La maison n'était pas l'ordinaire édifice de briques. C'était de la pierre de taille de l'Indiana. La véranda était faite d'une seule lourde dalle. Quand Amy avait paru sur la pierre grise, j'avais respiré son odeur intime. Une composante en était la poudre de Coty. Je me demande si Coty utilise toujours la fragrance qu'il employait dans les années cinquante. Quand nous nous enlacions et nous embrassions dans le parc, l'odeur de la fourrure humide était beaucoup plus forte que celle de la poudre.

L'application imparfaite de son rouge à lèvres était un autre trait caractéristique. Là résidait toute la magie – la beauté de cette mortalité bien charnelle. Tout aussi mortelle était la forme de son derrière quand elle marchait, femme mûre balançant un cartable d'écolier. Elle ne marchait pas comme une étudiante. Il y avait aussi la gestion défectueuse de ses escarpins. Ils tombaient sur le temps faible. Cette syncope était le trait le plus révélateur de tous. Il liait tous les autres. Ce dont vous aviez alors conscience, c'était de la sensualité gauche de ses mouvements et de ses attitudes. Les années écoulées, avec leurs crises, leurs guerres et leurs campagnes présidentielles, toutes les mutations de notre ère, n'ont rien pu faire pour changer son allure, la taille de ses yeux ou la brièveté de ses dents. Telle est la preuve du pouvoir d'Éros.

C'est une matinée de mars, donc, sur la ligne de touche entre le froid et le doux. Une tempête a éclaté, sur un mode propre à Chicago. La neige tournoie, lourdement, et Amy est dans le bac à douche carrelé, en train de se savonner. Les courbes joufflues de son postérieur sont toujours bien modelées, et elle se lave avec les mains expérimentées de la mère qui a donné le bain à des petits enfants. Une vie entière de soins corporels transparaît dans le savonnage de ses seins. Il y a trente ans, j'ai eu le privilège extatique de les soulever pour les embrasser par-dessous – et aussi les cuisses écartées.

Amy n'a pas l'apparence d'une femme qui suscite de tels fantasmes. Il y a chez elle une réserve qui décourage une approche directement érotique. Elle semble très pondérée. Il en a toujours été ainsi. Au lycée, elle se rangeait dans la moyenne du point de vue de l'apparence. Sauf le jour du bal costumé, en collants et rouge à lèvres de meneuse de revue. Les jeunes gens comme Jay, lecteurs accomplis des signaux sexuels, la devinaient excitable. « Il y a du potentiel, il y a de l'action dans cette fille », disait-il. Je « sortais » avec elle, en troisième année, jusqu'à ce que Jay me supplante. Ils se marièrent beaucoup plus tard – après la crise des missiles de Cuba. Leur second mariage à tous les deux.

J'étais étrange à regarder. Pas déplaisant, mais pas non plus du goût de tout le monde. Jay convenait à tous les goûts ; c'était un homme séduisant, affichant un érotisme délibérément marqué.

Mais revenons à elle. À cet instant, elle arrête la douche, se demandant quelle épaisseur de neige va tomber. Cet après-midi, elle doit se rendre au cimetière et une tempête rendrait dangereuse la voie express. Et si les rues sont, comme d'habitude, encombrées de neige, elle n'en finira pas de traverser l'interminable succession de quartiers résidentiels – la ceinture pavillonnaire. Il faut qu'elle aille au-delà des limites de la ville jusqu'au – Dieu nous aide ! – champ des morts.

Il fallait bien s'y rendre, pourtant. Jay Wustrin, qui était mort l'année précédente, était enterré dans la concession de la famille d'Amy. La raison en était un embrouillamini saugrenu, exactement le genre de blague tordue qui amusait feu Jay. Il était juriste de profession, mais c'était aussi un pitre. Dans cette affaire, le pitre avait prévalu, si bien qu'il reposait à présent au côté de la mère d'Amy, qui avait désapprouvé – non, détesté – le mari de sa fille. Pour toutes sortes de raisons, il devait être déplacé. Il y avait eu des obstacles à ce déplacement, des problèmes bureaucratiques avec la municipalité, avec les services de santé. Mais ces complexes formalités étaient enfin bouclées. Jay Wustrin devait être déplacé cet après-midi vers une autre région du cimetière de Waldheim. Après d'interminables paperasses, nous étions tous parés. Elle n'avait pas requis mon aide. Je dis « nous » parce que j'étais en un sens impliqué, présent ou non, sur une piste mentale parallèle. Amy évitait les sentiments pesants et les sources d'embarras. Sortant de la douche, fronçant légèrement les sourcils, elle contourna les problèmes de l'exhumation et du réenterrement. En se drapant dans la serviette, elle pria pour qu'une giboulée de mars fît fermer le cimetière. Sa journée était déjà trop remplie pour son goût.

Cela aurait amusé Jay d'être cause de tant de soucis. On pouvait avoir confiance en Amy pour faire ce qui était convenable. Sa famille était convenable, des Juifs germanophones d'Odessa éduqués au *gymnasium*. Ils avaient élevé Amy à *avoir l'air* vertueuse, et on peut sans doute dire qu'elle avait l'allure d'une matrone petite-bourgeoise. Jay, par contraste, aimait à se penser et se voir comme un noceur. Il courait après les femmes ; il s'y entendait très bien, et il était bel homme, en prime, pour qui aimait la beauté conventionnelle – un peu empâté avec l'âge. Lui et moi avions fait connaissance à notre entrée à Senn High School, quand j'étais orphelin – ou non-orphelin. Nous étions très amis en ce temps-là. Son père possédait une laverie. Sa mère se défiait de moi, pour des raisons que je ne me suis jamais fatigué à chercher. Jay et moi lisions de la poésie ensemble – T. S. Eliot, qu'il appelait « *El*-yat », et Ezra Pound, qu'il appelait « Pond ». Adolescent, il admirait aussi Marie Stopes. Par son intermédiaire, je découvris le *Manuel d'amour conjugal*. Il fut brièvement végétarien et aussi « postal-socialiste », plaidant que toutes les entreprises devraient être publiques comme l'était la poste. Plus tard, très brièvement, il fut anarchiste. À travers toutes ces phases il resta un *homme à femmes* * [1]. Les femmes étaient son principal centre d'intérêt. Amy Wustrin fut sa seconde épouse. J'imagine qu'il se souvenait parfois que j'avais été amoureux d'elle à Senn, mais

---

1. Les expressions en italiques suivies d'un astérisque sont en français dans le texte original. *(N. d. T.)*

le passé lointain lui importait peu. Il avait dû l'oublier complètement, parce que, alors qu'il sortait avec Amy, il m'avait invité à les rejoindre au Palmer House prendre une douche avec eux.

Je lui avais demandé : « Elle est d'accord, ou est-ce que tu comptes lui faire la surprise ?

– Je ne prépare aucune surprise. Je lui ai posé la question, m'avait-il répondu. Elle a seulement haussé les épaules : " Pourquoi pas ? " »

J'avais donc accepté et nous avions passé vingt minutes sous la douche, tous les trois. En début d'après-midi, il avait dû se rendre au tribunal et nous avait laissés seuls, Amy et moi. C'est alors que je l'avais embrassée sous le sein et à l'intérieur de la cuisse. Après cela, il fut terriblement embarrassant de penser à notre comportement sous la douche – un malaise absolu qui, d'année en année, devint plus aigu.

Pourquoi Jay avait-il monté ce coup ? Pourquoi y avait-elle consenti ? Pourquoi y avais-je participé ? Je me souviens que, nous étions seuls alors, elle avait ouvert la bouche vers moi, avidement. Mais elle n'avait rien dit. Moi non plus.

« J'imagine que Jay a découvert les parties à trois dans un livre. Havelock Ellis, peut-être », lui dis-je un jour.

Au cours des années qui suivirent leur mariage, je fus fréquemment convié à dîner. Un ami de la famille.

Après dîner, il passait généralement des

disques de musique classique sur le phono-
graphe. Et il présidait au concert – il vous le faisait éprouver au moyen de son visage extrêmement expressif. Surtout les sourcils. Si c'était *Don
Giovanni*, il chantait à la fois Leporello et le Don.
Il n'avait aucune oreille, et pourtant il était plus
ému par la musique que quiconque. Un drôle de
zèbre que ce Jay.

Puis, environ cinq ans avant de mourir, Jay
divorça d'Amy. Le dossier qu'il monta contre elle
était salé. « Un imparable constat d'adultère, et
il vous a massacrée, lui dit son avocat. Il ne vous
doit pas un centime. »

À cette époque, Amy n'avait pas d'argent à
elle. Fauchée comme les blés. Plus que jamais la
matrone petite-bourgeoise en tailleur. Elle
confessait, parlant de cette période : « J'ai dû
vivre dans la chambre de bonne de ma tante
Dora. Dieu merci, les filles étaient en pension à
l'école. Dora n'était pas trop heureuse de
m'avoir chez elle. Elle ne pouvait pas me donner
d'argent. Quand je glissais la clé de la maison
dans la serrure, je l'entendais filer dans sa
chambre. Je fouillais les doublures des vieux
porte-monnaie à la recherche de pièces égarées
et je plongeais les mains dans les ressorts du
canapé. Je dois à Jay de savoir ce que c'est que
d'être lessivée. J'ai dû apprendre à me battre
pour vivre – un calice de honte, c'est ce qu'il a
fallu pour faire de moi une lutteuse. »

Le rendez-vous qu'avait Amy, ce matin-là, était avec les vieux Adletsky. Elle était devenue décoratrice d'intérieur.

Adletsky, qui ne se séparait jamais de son téléphone cellulaire, appela Amy pour lui dire qu'il passerait la prendre à dix heures. Quand il sonna, pile à l'heure, elle descendit. La marquise de son immeuble de Sheridan Road était chauffée par des barres rougeoyantes. Un énorme sac de neige continental avait crevé au-dessus de Chicago. Les flocons étaient immenses. La limousine extralongue d'Adletsky approchait très lentement dans la neige, dérivant le long du trottoir. Le portier s'avança vers la voiture pour ouvrir à Amy. Elle s'assit en face des deux vieillards.

La vieille Mme Adletsky aimait Amy. La matriarche avait, elle aussi, passé les quatre-vingt-dix ans. Elle était toute menue – comme une chrysalide enveloppée de satin. Tout sauf léthargique, pourtant. Elle avait un esprit cristallin. Et, bien sûr, elle connaissait – elle devait connaître – l'histoire d'Amy. Songeant aux valeurs de la vieille dame, Amy les faisait remonter au début du siècle. Mme Adletsky devait juger le comportement d'une femme selon les normes du temps de François-Joseph, toujours plus ou moins observées par les nonagénaires. Amy considérait à juste titre que l'idée que se faisait Mme Siggy d'une dame était des plus traditionnelles. Mais même ces multimilliardaires de longue date devaient accepter le monde tel qu'il est.

Je n'ai pas de blé, alors peu importe que ma vie privée soit sale, songea Amy.

Elle était dure avec elle-même. Sa politique consistait à se conditionner, à s'entraîner à ne pas céder un pouce de terrain quoi qu'on pût dire sur son compte. La vieille Mme Adletsky s'était prise d'affection pour elle. Elle la recommandait à ses amies. Disait : « Vous pouvez vous fier au goût de cette femme, et elle ne vous filoutera pas. »

Dans la chaleur de la limousine, Adletsky regardait les informations et la météo sur trois postes de télévision. Dame Siggy, comme certains membres du personnel des Adletsky la désignaient, accueillit Amy avec ce que celle-ci appelait sa douceur d'« outre-tombe ». Ses jambes d'oiseau, inclinées, étaient posées ensemble ou mises de côté jusqu'à ce qu'elle fussent rappelées en service. Sa courte veste de fourrure était rejetée en arrière. Elle sirotait son café, parfaitement indifférente à la circulation matinale sur le périphérique.

« Bonjour, madame Adletsky. Bonjour, Sigmund.

– Peut-être qu'aujourd'hui on arrivera enfin à boucler les négociations avec Heisinger. »

Les Adletsky achetaient le grand duplex de Heisinger sur East Lake Shore Drive. Le marchandage durait depuis deux semaines. Heisinger et sa femme tenaient à ce que les Adletsky reprissent leur mobilier. Le rôle d'Amy était d'estimer la valeur des fauteuils, canapés, tapis, lits, commodes – jusqu'aux rideaux. « Bien sûr, nous n'avons que faire de leurs affaires, dit Dame Siggy. Tout cela ira à la brocante de l'hôpital Michael Reese et nous récupérerons la déduction fiscale pour les œuvres charitables. »

Le vieux Bodo Heisinger, vieux mais loin d'être aussi âgé qu'Adletsky – Amy lui donnait dans les soixante-cinq ans –, se sentait manifestement obligé de tenir son rang d'homme d'argent face à Siggy Adletsky. Heisinger, prospère fabricant de jouets, avait rendu les choses très difficiles pour les acheteurs.

« J'aurais préféré que ma femme ne jette pas son dévolu sur cette taule, dit le vieil Adletsky. Pour qui nous prend-elle ? Un jeune couple qui démarre dans la vie ? Mais Florence ne veut pas en démordre – rédécorer et ainsi de suite. La vue sur le lac est magnifique, c'est indéniable. Mais ce Bodo Heisinger s'y croit beaucoup trop comme négociateur. Beaucoup trop...

– Il doit prouver à *sa* femme...

– Oh, *sa* femme ! Évidemment. Mais il n'y arrivera jamais. Il est mort de peur devant elle.

– Elle a été la cliente de Jay, il y a des années, dit Amy.

– Cela ne m'étonne pas », dit Adletsky. Il était rarement surpris. Il n'avait jamais rencontré Jay Wustrin. Mais en enquêtant sur Amy, comme un tel homme n'avait pu manquer de le faire, il avait appris tout ce qu'il lui fallait savoir sur l'ex-mari. Jay n'était pas un homme de loi très brillant – il n'avait aucun poids politique, un gros handicap dans cette ville. Il échafaudait des stratégies complexes et absurdes. Ses dossiers étaient surchargés. Il avait la manie de conserver des archives parfaites, sauf qu'il n'avait pas grand-chose à archiver. Les clients qui le maintenaient à flot étaient ses vieux voisins du Northside, des copains de son père. Il rédigeait leur testament, et quand ils vendaient leur maison il assistait à la transaction. Je fis moi-même appel à lui à mon retour de Birmanie et du Guatemala. Si vous aviez des objectifs clairs et que vous freiniez sa tendance à compliquer et complexifier, il pouvait établir vos paperasses aussi bien que n'importe quel autre avocat.

« De quoi s'agissait-il ? demanda Adletsky.

– D'un ancien mari à elle, répondit Amy.

– Un litige matériel ?

– Sûrement. Mais vous *devez* vous souvenir – elle changea de sujet – que j'ai une corvée cet après-midi au cimetière. À moins qu'elle ne soit annulée à cause de la tempête de neige.

– Ne comptez pas là-dessus. Ce n'est pas une véritable tempête. C'est de la neige humide qui ne tiendra pas. Selon le dernier bulletin météo, la dépression se déplace vers le Michigan et l'Indiana.

– Ce sera ciel bleu et grand soleil tout l'après-midi, dit Dame Siggy. Mettez des bottes ; vous en aurez besoin là-bas.

– Tout ça ne m'enchante pas du tout.

– Vous m'avez expliqué de quoi il s'agissait et Quigley vous a procuré le permis d'exhumer. » Quigley était un membre de l'équipe d'avocats d'Adletsky. « Mais pourquoi le défunt doit être déplacé, voilà qui reste un mystère. »

Amy se dit qu'Adletsky souhaitait que Dame Siggy eût droit à toute l'histoire. Et pourquoi pas ? La vieille femme – anormalement vieille – baissa le visage, écoutant, toute ouïe.

« Le cercueil de votre mari doit être déterré ?

– Mes parents ont acheté des tombes à Waldheim il y a bien des années, et après la mort de ma mère, mon père a soudain déclaré qu'il n'avait rien à faire de l'emplacement – du sien. Il a commencé à dire : " Qu'est-ce que j'ai besoin de cette parcelle ? Je vais la vendre. "

– Quel âge avait votre père ?

– Il a maintenant quatre-vingt-un ans.

– Et il avait toute sa tête ?

– Je ne peux pas en jurer.

– Gaga ? Mais pas la maladie d'Alzheimer... ?

– Ce n'est pas nécessairement un Alzheimer. Il s'était mis en tête de vendre sa tombe, il y revenait jour après jour et, Dieu sait pourquoi, il insistait pour que ce soit Jay qui l'achète. Il s'agit de mon défunt mari, madame Adletsky.

– J'avais compris.

– Jay adorait ce genre de plaisanteries. Il asticotait mon père en lui disant : " Vous ne voulez donc pas être enterré à côté de votre épouse – unis tous les deux pour l'éternité ? " Et mon père répondait : " Non, je préfère avoir l'argent. C'est absurde. Pour moi, cela n'a aucun sens de la garder. Quel besoin j'en ai ? Achète-la moi, Jay. " Et Jay lui disait : " Vous ne serez pas jaloux si je suis couché auprès d'elle ? " Et il lui répondait : " Ce n'est pas dans mon caractère d'être jaloux. Je ne suis pas jaloux de nature. "

– Et votre vieux papa est toujours en vie ?

– Oh, oui. Dans une maison de retraite.

– Mais il a eu ce qu'il voulait.

– Oui. Cela faisait une formidable histoire à raconter pour Jay. Je ne voulais rien savoir de tout ça. Jay disait : " Je vais le faire simplement pour que le vieux bonhomme arrête de me casser les pieds. " J'ai protesté, mais en vain, et Jay a fini par faire un chèque à mon père et il y a eu transfert légal du titre. Jay n'imaginait pas que mon père lui survivrait. Quelques années plus tard nous nous sommes séparés, puis nous avons divorcé...

— Et votre mari a sombré..., coupa Adletsky.

— Il a cessé de travailler, perdu la santé. Il a vécu du petit bien dont il avait hérité de sa mère, ce qui ne représentait pas grand-chose. Quand il était à l'hôpital, il a demandé à me voir, et j'y suis allée. J'ai passé du temps auprès de lui... De quoi il souffrait ? » fit-elle, réagissant à la question qui se dessinait sur le visage aigu de Dame Siggy. « Il avait une insuffisance cardiaque. Ses poumons s'obstruaient.

— Ainsi, quand il est mort... ? » Adletsky pressait Amy de conclure.

L'immense limousine vernie comme un piano de concert avait quitté le périphérique. Par les vitres teintées, on ne voyait rien d'identifiable.

« Ses enfants ont trouvé le titre de la tombe dans le coffre de Jay à la banque, et il l'ont enterré à côté de maman.

— Mais vous allez avoir besoin de cet emplacement... ?

— Sous peu, je pense.

— On ne peut pas attendre qu'il soit trop tard, dit Mme Adletsky.

— Les enfants Wustrin ont-ils des objections à son déplacement ?

— Non, si cela ne leur coûte rien, répondit Amy. Ils ont donné leur accord à cette condition.

« – Votre père vous reconnaît-il quand vous allez le voir ?

– Pas souvent. Ses images mentales ne cessent de changer. »

Zébrures de lumière géométrique, comme sur un écran de télé.

Dame Siggy ne souhaitait pas s'appesantir sur le père. Elle était sur le point d'acheter un nouvel appartement, de le meubler et de le redécorer. Comme une jeune mariée. « Quel sens de l'humour avait votre défunt mari ! » dit-elle.

Jay aimait se donner en spectacle, amuser la galerie, exhiber ses trouvailles. Corpulent, il dansait en balançant son gros derrière, mais ses pieds étaient très agiles. Assez précis pour qu'on pût parler de dextérité. Au lycée, il faisait le Dr Jekyll se transformant en Mr Hyde en éclairant son visage avec une lampe de poche. Comme au cinéma. Était-ce John Barrymore ou son frère, Lionel ? Ou Lon Chaney, le grand contorsionniste qui jouait Quasimodo dans *Notre-Dame de Paris* ?

« Vous allez être toute seulette pour transférer un cercueil d'une tombe à une autre ? dit Dame Siggy. N'y a-t-il personne pour vous accompagner – un ami, ou l'un de vos enfants ?

– L'une de mes filles est mariée, à New York. La cadette est étudiante à Seattle, à l'université. »

Adletsky était d'accord avec sa femme. « Vous devriez avoir quelqu'un auprès de vous. »

La marquise de l'immeuble de Heisinger était protégée des rafales de vent par des toiles de tente. Ils entrèrent dans l'ascenseur royal. Le plafond doré évoquait une chapelle byzantine ; les parois étaient capitonnées de cuir. Les Adletsky s'assirent ensemble sur une banquette garnie de coussins. Un liftier silencieux les emmena au seizième étage, et le portail de cuivre orné d'un motif en losanges s'ouvrit sans bruit. Bodo Heisinger, trapu et grave, les attendait là. Il portait un costume trois pièces. Lorsqu'il s'écarta, on découvrit avec surprise qu'il était en pantoufles. Il serra la main au vieux couple et hocha la tête en direction d'Amy. Il y a les milliardaires, et puis il y a les excédentaires, songea-t-elle en silence.

« Mme Wustrin est ici pour prendre des notes en vue d'une estimation », dit Adletsky.

Il s'exprimait avec une pointe d'accent, mais son anglais commercial était parfait.

« Si vous pensez avoir besoin de votre propre estimation », dit Heisinger. Il les avait conduits dans une pièce qui surplombait le lac – des centaines de kilomètres d'eau s'étendant sous les nuages lourds de neige. Il y avait une table de jeu ronde : irlandaise, XVIIIe siècle – Amy avait vérifié –, en cuir vert avec une bordure dorée. C'était l'une des rares pièces de réelle valeur. Heisinger avait choisi, pour des raisons tactiques, de mener à bien la transaction dans cette pièce. Le reste de l'inventaire – Amy l'avait épluché avec ses experts du *Merchandise Mart* – ne s'élevait pas à grand-chose.

« Mon épouse nous rejoindra tantôt », dit Bodo Heisinger. Il bavardait, faisant passer le temps.

Le vieil Adletsky écoutait, indifférent. Quand Bodo annonça la venue de sa femme, ce furent les dames qui dressèrent l'oreille – Amy surtout. Dame Siggy avait déjà rencontré la problématique Mme Heisinger. Car elle *était* problématique. Plus encore, Madge Heisinger était une femme de mauvaise réputation. Son mari avait divorcé d'elle avant de l'épouser à nouveau. Jay Wustrin, quand il avait représenté Mme Heisinger dans une affaire d'une autre nature, avait dit à Amy qu'elle lui avait fait une sacrée impression. Il était rentré du bureau en souriant et avait dit, la décrivant ou essayant de la décrire : « Elle n'y va pas par quatre chemins – c'est une vraie nihiliste. Elle le dit elle-même. »

Dame Siggy avait dit à Amy que Mme Heisinger portait des ensembles de chez Escada et des robes Nina Ricci. « Elle se conduit de manière très provocante », avait ajouté la vieille femme.

Eh bien, si Mme Heisinger était provocante,

elle avait dû provoquer Jay. Ce qui n'avait pas dû être pour lui déplaire. Elle avait peut-être reçu une note d'honoraires plus légère qu'une cliente moins excitante. (Elle n'était pas mariée à Bodo Heisinger à l'époque, et l'argent avait pu entrer en considération.) Les clients de Jay étaient souvent des femmes à problèmes – des nihilistes, si vous préférez, son expression favorite. L'excitation que ces femmes amenaient dans son bureau était plus importante pour lui que les honoraires. Si l'on assimile le désir sexuel à un alcool, Jay vivait dans un état d'ébriété permanente.

Puis j'ai cessé de présenter le moindre intérêt pour lui, se disait Amy en tirant sur ses genoux la jupe de son tailleur en laine bleu. Elle avait observé cela très tôt dans leur mariage. Ce matin-là, Amy était très maquillée, autour des yeux en particulier, là où c'était le plus nécessaire. Son visage rond était calme, bien que sa machine à calculer interne tournât à vive allure. L'âge conduit parfois au laisser-aller chez les femmes bien charpentées. Mais il était clair qu'elle gardait toujours la maîtrise de son apparence ; ses traits et ses facultés étaient rassemblés – ils étaient exposés dans le corral. C'était une beauté, à la peau toujours lisse ; elle *respirait* même comme une beauté.

Si elle avait été ma femme – non pas Mme Jay Wustrin, mais Mme Harry Trellman – son corps lui-même, son corps de cinquante ans, aurait paru... non, aurait *été* différent. J'aurais pu lui offrir d'autres facilités, celles de l'intellect, de l'imagination.

Présentement, assis dans l'appartement chaud, tandis que les derniers flocons de neige s'éparpillaient à mesure que la dépression traversait le lac, de puissants courants d'air venus de l'ouest dégageant deux vastes à-plats bleus de ciel et d'eau, Amy et les Adletsky attendaient qu'apparaisse Mme Heisinger. Bodo Heisinger était en train de dire que Madge était soucieuse de l'estimation du mobilier. Cela n'allait pas se passer comme ça. Elle avait acheté les canapés, les fauteuils, les bibliothèques vitrées, les tapis, les tentures, les glaces, les tableaux, dans les meilleures boutiques, principalement au *Merchandise Mart*, et sans décorateur pour la guider. Elle avait conservé toutes les factures.

M. Adletsky, très feutré, demanda : « Il y a dix ans, ou même quinze ?

– Certainement, répondit Bodo Heisinger, mais la valeur des antiquités, comme cette magnifique table de jeu irlandaise, a doublé.

– Nous avons votre estimation. Mme Wustrin prépare la sienne. »

Dans l'annuaire des grandes fortunes publié à Austin, Texas, Adletsky surclassait nettement Malcolm Forbes et Turner de CNN, tandis que Bodo Heisinger n'y figurait pas du tout. Au bon vieux temps il avait fabriqué des pistolets à eau, des sarbacanes et des guenons mécaniques qui se coiffaient en agitant un petit miroir à main – de nos jours, bien sûr, les enfants voulaient d'horribles monstres venus de l'espace, outrageusement musclés et distordus. Il avait anticipé cela et son entreprise était plus que prospère. Il était magnanime de la part d'Adletsky de laisser Bodo jouer les grands capitalistes. Les sommes mentionnées étaient aussi dérisoires pour les Adletsky que la monnaie qui coule de votre poche de pantalon et va se perdre entre les coussins du canapé et dans les tréfonds du rembourrage.

Dame Siggy craignait peut-être que Heisinger ne poussât le bouchon trop loin. Elle avait jeté son dévolu sur l'appartement et il n'y avait aucune raison pour qu'elle ne l'eût pas, une femme d'une telle richesse. Mais Bodo commençait à lasser Adletsky. L'irritation suivrait. Il était tout à fait capable de se lever et de demander sèchement son manteau et son chapeau.

Enfin, peut-être, quand il était plus jeune, dans les années où il jetait les fondations de sa fortune, Adletsky avait-il été un râleur cinglant, colérique, impatient, intolérant. J'avais l'impression qu'il était à présent beaucoup plus mesuré. Il y avait des raisons à la « posture de négociation » de Heisinger, dont Adletsky avait conscience. Même un altier titan des affaires, du seul fait qu'il vivait là, ne pouvait l'ignorer. Les journaux en avaient parlé, et la radio. Madge Heisinger était l'épouse criminelle, coupable d'avoir voulu faire tuer le vieux fabricant de jouets.

Quelques semaines auparavant, Adletsky avait débattu avec moi de l'historique de l'affaire. Je n'étais plus son conseiller stipendié. À présent, je gérais une affaire très lucrative. J'avais cessé d'accepter ses émoluments. Mais j'étais très calé sur les questions qui commençaient à l'intéresser – les questions humaines. Et il était clair pour lui que la femme qu'il appelait « votre très chère amie Mme Wustrin » ou « votre *protégée* * », occupait une place singulière dans mes sentiments. Il lui semblait peut-être étrange qu'un homme tel que moi pût *avoir* de tels sentiments pour quiconque. Il m'avait dit une fois ou deux : « Je ne vous tiens pas pour un poidslourd de l'affectif. Mais tout ce que cela signifie, c'est que quelque chose m'a échappé quand je vous ai jaugé. Nous sommes tous deux des Juifs excentriques, Harry. Mais j'ai fondé cette fortune considérable, ce qui se trouve être très juif. »

J'avais approuvé d'un haussement d'épaules, et il n'avait pas poussé plus loin cette réflexion.

« Mais à propos des Heisinger... J'étais absent durant le procès, dit Adletsky.

– Il y a cinq ou six ans, elle a placé un contrat

51

sur la tête de son mari ; le tueur était quelqu'un qu'elle connaissait d'autrefois – un homme avec qui elle était sortie il y a longtemps, lui expliquai-je.

– Bodo a-t-il été blessé ?

– Je ne crois pas. Il lui a fait sauter le pistolet des mains. Le type s'est enfui. Il y avait ses empreintes sur l'arme. La police l'a identifié et il a mis en cause Madge Heisinger.

– Elle a donc été reconnue coupable ?

– Les deux l'ont été, et ont fait trois ans...

– Ils ont été mis en liberté conditionnelle ?

– Oui. Heisinger a retiré sa plainte. Il voulait récupérer Madge...

– Encore un de ces hommes qui n'en pincent que pour les femmes à problèmes, dit Adletsky.

– Il l'a épousée une seconde fois. L'une des conditions qu'elle a posées était que son homme de main soit libéré lui aussi. Elle ne pouvait être heureuse tant qu'il serait en prison. Elle a promis de ne pas le revoir.

– Donc ils se sont remariés et ils sont repartis à zéro, comme si de rien n'était.

– Heisinger a dû trouver cela audacieux – une innovation, dis-je. Le piment raffiné d'une relation. Un homme au-dessus de l'opinion générale.

– Sur quoi ?

– Oh, sur la crédulité, l'âge ou la virilité. Il ouvre à nouveau les bras à la femme qui a placé

un contrat sur sa tête. Il se présente publiquement pour déclarer qu'il ne craint pas de se
remarier avec elle, et il balaie la vieille moralité,
les vieilles idées et les vieilles règles. »

Amy trouvait que Bodo ressemblait quelque
peu à Jay, son ex, son défunt mari. Tous deux
trouvaient le nihilisme excitant et semblaient
croire qu'il n'existait de véritable érotisme qui
ne défiât les tabous. Ni Jay ni le vieux Heisinger
n'étaient d'une intelligence aiguë. Les hommes
très sexy sont souvent stupides, et la stupidité par-
tagée est une force importante quand elle est
présentée dans le langage de l'indépendance ou
de l'émancipation. L'attrait de tels hommes
prend pour cible les strates inférieures des sentiments d'une femme, en dessous de l'intelligence. La force d'un Heisinger résidait dans sa
masculinité carrée. Il était direct et énergique,
vieillissant mais toujours dans la course – ne crai-
gnant pas d'être mis à l'épreuve. Il montrait, ou
essayait de montrer, qu'il n'avait pas peur du
petit ami gibier de potence. Le petit ami avait été
puni, Madge avait été punie. Tout le monde avait
été torturé. Amy, essayant de pénétrer dans
l'esprit de Bodo, sentit qu'il pensait au temps
qu'il lui restait, une décennie environ : « les dernières années », comme les appellent les bio-
graphes – une période de « mûre » bienveillance, de réconciliation, de générosité, d'amnis-
tie générale. Elle soupçonnait Heisinger d'être

un homme trop limité pour comprendre combien il avait peut-être tort. Jay aussi avait échafaudé des projets flamboyants que personne d'autre ne pouvait accepter – des scénarii trop théâtraux pour être traduits en termes réels.

Du mieux que je pouvais, j'exposai cela à Adletsky. Il n'eut aucune difficulté à le saisir. C'était exactement ce qu'il souhaitait entendre de Trellman, son conseiller. Il était un auditeur concentré et critique.

S'il existait des parallèles entre Bodo Heisinger et Jay Wustrin, y aurait-il aussi des ressemblances entre leurs épouses ? Amy prévoyait qu'il pourrait y en avoir *certaines*. Bien sûr, Heisinger était plusieurs fois millionnaire. Le père de Jay Wustrin lui avait laissé de l'argent, mais Jay l'avait mal géré. Il était maladroit avec les banques, les taux d'intérêt, les investissements. Sa mère avait survécu vingt-cinq ans à son mari, et bien qu'elle eût comprimé ses dépenses à cause de Jay, vivant comme une pauvresse, à la fin Jay avait dû l'entretenir.

J'avais bien connu la mère ; elle ne m'appréciait guère ; elle pensait que j'étais un ami indésirable pour Jay, intéressé – l'orphelin pour qui Jay dépensait son argent de poche. Quand nous étions adolescents et que nous boxions dans la ruelle (les gants étaient à lui), Mme Wustrin m'en voulait de le frapper au visage.

« Mais je frappe Harry tout aussi souvent... »

Elle secouait devant lui sa grosse tête sans cervelle. Jay était embarrassé par sa mère. Avec ses grands yeux noirs, brillants et stupides, semblables à ceux de son fils, elle n'en était pas moins une belle femme. Sa famille l'avait vendue, plus ou moins, au vieux Wustrin, sensiblement plus âgé qu'elle. Il l'avait mise au travail dans sa laverie. Elle était passive, obtuse, dévouée à Jay, son unique enfant. Peut-être n'était-ce pas de la stupidité que montraient ses yeux noirs, mais une sexualité entravée. En paysanne de l'Ancien Monde, elle traçait des carrières pour son fils. Il serait un grand homme de loi, gagnant des millions et faisant des plaidoiries commentées dans les journaux. Comme Clarence Darrow. Mais Jay était un homme à femmes. Peut-être que même sa gourde de mère s'en rendait compte.

Je me vois prendre plaisir à cet assortiment de personnes, avec leurs motivations et leurs comportements. Seule l'une d'entre elles me tient réellement à cœur. Depuis des années maintenant, j'ai plusieurs fois par semaine des rencontres et des conversations imaginaires avec Amy. Au cours de ces discussions mentales, nous avons passé en revue toutes les erreurs que j'ai faites – par dizaines –, la plus grave étant mon incapacité à la briguer, à rivaliser pour elle.

Elle aurait pu me dire : « Où diable étais-tu passé toute notre vie ? »

Bonne question !

Mais ce n'est pas exactement ce que j'ai en tête présentement. C'est aux autres que je pense : à Bodo Heisinger, à Madge Heisinger, et, en dépit de leur immense fortune, aux Adletsky. Et au père sénile d'Amy, le fantaisiste qui avait fourgué sa propre tombe à son gendre.

Jay avait acheté l'emplacement de son beau-père pour rigoler. Cela lui faisait une histoire amusante à raconter à ses déjeuners au Standard Club.

C'étaient tous des gens banals. Je ne le leur aurais jamais permis de le penser, mais il est temps de reconnaître que je les regardais de haut. Ils manquaient de motivations élevées. C'étaient les produits ordinaires de notre démo-cratie de masse, sans contribution particulière à faire à l'histoire de l'espèce, satisfaits d'entasser de l'argent ou de séduire des femmes, de copu-ler, de réussir au plumard en fils dégénérés d'Éros, mâles mais point virils, et vivant, les hommes comme les femmes, sur des idées éli-mées, sans beauté, sans vertu, sans la moindre indépendance d'esprit – privilégiés en matière d'argent et de biens, bénéficiaires de la conquête de la nature par l'homme telle que les Lumières l'avaient prévue et des prouesses technologiques qui ont transformé le monde matériel. Indivi-duellement et personnellement, nous ne

sommes pas à la hauteur de ces accomplisse-
ments collectifs.

Mais j'avais beau éprouver de tels sentiments
et porter de tels jugements, je ne pouvais me
défaire de l'habitude de guetter les signes furtifs
de capacités supérieures, la promesse de forces
puissantes dans, mettons, les yeux noirs brillants
et stupides de la mère de Jay Wustrin, ou dans la
seconde tentative de Bodo Heisinger – son
mariage avec la femme emprisonnée pour avoir
machiné sa disparition, son élimination, son
assassinat.

Moi-même, je semble me livrer à une activité
imbécile en cherchant des signes d'une capacité
supérieure chez des types humains si évidemment voués à la stérilité.

Parfois je me demande si c'est ma mère, que
depuis longtemps je soupçonne d'être une hypo-
condriaque, qui a causé cela chez moi en me pla-
çant dans un orphelinat juif où l'on m'enseignait
(mais à l'époque je n'étais pas d'accord) que les
Juifs étaient un peuple élu. C'est peut-être le
noyau de ma conviction que les puissances de
notre génie humain sont présentes là où on les
attend le moins. Oui, même dans ce qu'un mien
ami appela un jour « l'abîme du crétinisme ».

Je ne revendique rien pour cette habitude
(personnelle) d'examiner les expressions et les
comportements. C'est purement intuitif. Rien
n'est prouvable. Et il est fort possible qu'il

s'agisse d'un reliquat de quelque pulsion juive atrophiée, restée parfois très active.

Avec mon air chinetoque ou jap, il est rare qu'on me prenne pour un Juif. J'imagine que ce n'est pas sans avantage. Quand vous êtes identifié comme Juif, vous êtes une proie désignée. Les règles de comportement changent et vous devenez en un sens négligeable. Adletsky, pour sa part, en tant qu'un des hommes les plus riches du monde, se souciait peu de savoir si vous l'estimiez ou non. Il était ouvertement juif, parce que c'était somme toute trop évident. En outre, il se fichait complètement de votre opinion. Mais le cas de Bodo Heisinger était différent. On ne pouvait pas dire si Bodo était ou non un Juif. Un Juif divorcerait-il pour réépouser une femme reconnue coupable d'avoir voulu le faire assassiner ? Faire cela revenait à outrepasser toute conception juive des relations entre hommes et femmes.

Le vieux fabricant de jouets avait besoin de se trouver au cœur de l'action, des vices et des scandales. Il pilotait toujours sa moto imaginaire et roulait, pour ainsi dire, plein pot au bord du Grand Canyon. Il avait fait sauter le revolver de la main du tueur. Il avait fait mettre celui-ci en prison. Puis il l'avait fait libérer. Quand la demande des gosses se faisait sans cesse plus répugnante, de hideuses poupées de monstres venus de l'espace, il avait anticipé la tendance et fait exploser ses ventes.

Et voici qu'entrait Madge. Amy se souvenait l'avoir rencontrée une fois ou deux quand elle était la cliente de Jay, quinze ans plus tôt. Elle paraissait différente – très attirante, reconnut Amy. Elle était plus mince, moins lourde de hanches. La prison avait dû la maintenir en forme. Elle avait une belle poitrine, un visage ovale, une tête bien dessinée. Elle était très blonde, une poupée dorée dont les cheveux étaient épinglés serrés, presque sévèrement, et nattés sur la nuque. Amy avait vu son tailleur de soie dans une vitrine d'Escada – cinq mille dollars sur le dos, plus des saphirs aux doigts avec pendentifs coordonnés aux oreilles. Les quelques mèches dorées qui échappaient au contrôle semblaient receler une force autonome. Dans les montagnes (Amy s'autorisa une image amusante), on pouvait fabriquer une mouche à truite avec de tels cheveux et l'attacher à une épingle tordue. En prison pendant quarante mois, elle avait sans doute porté une salopette ou une blouse. Mais à présent il n'y avait plus nulle part l'ombre de la prison. Simplement un changement de décor et de costume. Elle était très belle, se dit Amy. Il n'y avait que le nez de cette femme qui n'allait pas – trop plein à son extrémité pour être entièrement féminin. Raison de plus, donc, pour présenter la poitrine voluptueuse dans un cadre signé Escada. Elle portait un chemisier en soie aux manchettes de dentelle. Cette Madge Heisinger était sacrément bandante. Imaginez l'effet qu'elle aurait produit couchée nue, vêtue seulement de ses saphirs, attirant un homme à elle par un babil salé. Avec en prime (ne l'omettons pas) le délice supplémentaire d'une tentative de meurtre.

Bodo, la victime désignée, était terriblement fier d'elle. Et de lui-même, fabricant chevronné et distributeur en tous points de la planète de créatures venues de l'espace musculeuses et hideuses, armées de fusils laser, destinées aux petits enfants. Il affirmait maintenant à la presse et à la télévision la force de son amour. Et déclarait à la postérité que lui aussi était un subversif, pas un bourgeois mais un nihiliste, un membre de la « contre-culture », frayant (ou presque) avec la classe criminelle. À nouveau je vis un parallèle entre Bodo et Jay Wustrin, mon ami d'enfance. Il leur avait toujours beaucoup importé d'être admirés des femmes.

J'imagine qu'il était venu à l'esprit de Madge – en prison, où elle avait tout le temps de réfléchir – que Bodo n'avait plus tant d'années à vivre et qu'il n'était pas nécessaire de placer un contrat sur sa tête. Puis il avait écrit pour dire qu'il pouvait la faire libérer – qu'il voulait la reprendre.

Eh bien, elle était là, faisant des grâces aux Adletsky tout en étudiant Amy du coin de l'œil.

Était-ce une tempête ? Non, ce n'était qu'une averse de neige. L'eau brilla quand le ciel se dégagea.

Amy avait les yeux ronds, les joues lisses et le nez légèrement crochu. Ces yeux dans un visage assez plat lui donnaient parfois un air idiot. Tel serait certainement le résumé de Madge.

« Vous êtes donc madame Wustrin. Votre défunt mari – excusez-moi, ex-mari – a réglé un problème juridique pour moi il y a longtemps.

– Je crois que nous avions dîné ensemble aux *Nomades* *, dit Amy.

– Oui, ça me revient maintenant. Et voilà que vous vous êtes fait un nom dans la décoration...

– Oui. M. et Mme Adletsky m'ont engagée pour faire une estimation de vos objets.

– Tout est de première qualité. Les pièces chinoises sont authentiques, certifiées par Gump's de San Francisco. Notre conseiller pour certaines acquisitions était Dick Erdman... »

Adletsky l'interrompit : « Je ne vais pas me laisser entraîner par les honoraires exagérés payés aux décorateurs professionnels comme Erdman. Si vos pièces sont à ce point merveilleuses, vous devriez les conserver. Mon épouse refera l'ameublement à son goût. »

Madge agita ses doigts peints, comme pour les débarrasser d'un fil invisible ou d'une trace col-

61

lante. « Dans un cas comme le vôtre, monsieur Adletsky...

– Je suis l'acheteur putatif et vous êtes les vendeurs. Ne vous occupez pas de mon cas. C'est aussi simple que ça.

– Oui, mais nous ne partons pas de rien, dit Madge. Nous ne sommes pas exactement des anonymes.

– Que voulez-vous dire – que nous sommes tous dans les journaux ? Que l'on parlera de votre mobilier dans les dîners en ville ? Comme de la vente Kennedy ? Nous ne sommes pas intéressés par l'achat de sujets de conversation. »

Madge croisa les bras et se mit à faire les cents pas. Elle était extrêmement nerveuse. Elle passa entre les portes vitrées et parcourut le long salon, comme si elle inspectait les canapés, les sofas et les tapis persans, glissant en eux un supplément d'elle-même. Quelque chose de sexuel ? Quelque chose de criminel ? Elle affirmait son importance. Elle n'était pas près de vous laisser l'oublier. Elle l'étalait, elle la disséminait, elle l'aspergeait. Elle n'avait pas été en prison pour rien. Quand je l'avais rencontrée, elle m'avait fait penser à un cours de théorie des champs, et je parle de théorie des champs psychologiques – auquel je m'étais inscrit quand j'étais étudiant –, ayant trait aux propriétés mentales d'une région de l'esprit placée sous des influences spirituelles ressemblant aux forces gravitationnelles. Adletsky, cependant, n'était pas prêt à lui laisser le moindre champ. Il y avait bien des administrateurs de société, bien des fonctionnaires du Trésor et plus d'un Premier ministre étranger qui avaient des anecdotes à raconter sur Adletsky et son refus total d'accepter les prémisses de l'autre partie lors d'une négociation.

« Vous devez tenir compte des pertes que nous devrons encaisser », dit Bodo. Il brandissait une chemise bourrée de documents.

« En ôtant les quelques pièces que nous nous réservons, dit Madge, nous évaluons notre mobilier à un million et demi. Et encore, l'estimation haute serait à deux millions. » Elle serra ses bras encore plus fort. Tout en haut, près des épaules, elle tenait une cigarette.

Adletsky dit que le vendeur, Heisinger, s'accordait lui-même une prime, reprenant ce qu'il avait concédé lors de la négociation. « Puisque Mme Heisinger a invoqué des considérations personnelles comme ajoutant de la valeur à ces fauteuils et à ces canapés, puis-je me permettre de signaler qu'en ce qui me concerne, à quatre-vingt-dix ans passés, si je ne fais pas cet achat, j'en ferai un autre. Je ne suis pas d'âge à m'enticher d'une acquisition particulière. Dame Siggy et moi-même sommes très bien, parfaitement à l'aise où nous sommes. »

L'attitude de Madge devenait légèrement rigide au niveau des épaules. Elle haussa la tête en vous donnant l'impression qu'elle réagissait à une chute de la température dans la pièce. « Mme Adletsky sera heureuse ici, dit-elle. Vous pourriez probablement lui faire oublier cette idée, mais elle est déjà en train de s'installer dans ce magnifique appartement. »

Un couple de Mexicains fit son entrée pour servir du thé et du café, des Indiens silencieux. La femme portait une queue de cheval. Le visage de l'homme était large et brun, cuivré, aplati sur le dessus, avec des cheveux noirs courts et luisants. Il posa le grand plateau d'argent, et sa femme disposa les soucoupes et les tasses. Madge renvoya les domestiques et fit le service.

Mme Adletsky préférait du thé.

« La même chose pour moi, s'il vous plaît », lança Amy quand Madge se tourna vers elle. Elle tendit sa tasse. Madge détourna le bec et versa le thé fumant sur les genoux d'Amy.

« C'est bouillant ! » s'écria Amy. Elle se leva.

« Oh ! quelle andouille je suis », dit Madge. Sévère avec elle-même, elle parlait par le nez comme si elle était seule dans la pièce.

Adletsky tendit sa serviette à Amy.

« Vous êtes brûlée ? demanda Madge.

– J'allais mieux avant, dit Amy. Heureusement que je porte ce tweed épais.

– Je suis vraiment idiote. J'aurais dû mettre mes lentilles. »

« Ses lentilles ! s'exclama plus tard Amy en me

décrivant la scène. J'aurais pu lui arracher les deux yeux. »

« Si vous avez de l'Onguentine dans la maison, vous devriez vous en mettre, dit la vénérable Dame Siggy.

– Ou de l'aloe vera – encore mieux, dit Bodo. Nous avons un plant d'aloe vera dans la cuisine.

– Si vous pouviez m'indiquer la salle de bains, fit Amy.

– Je vais vous y emmener moi-même, dit Madge. C'est bien le moins. »

Bodo le narcissique heureux observa leur sortie précipitée, son visage creux rayonnant de bienveillance. « Il paraît que l'aloe vera doit être âgé de trois ans pour calmer le feu d'une brûlure. Une jeune plante est sans effet », expliqua-t-il.

Madge marchait rapidement, Amy plus lentement, étouffant sa rage et préparant ses mots... Ce n'était pas un accident. Pas une goutte de thé n'était tombée dans la tasse. Sûr que tu as appris quelques trucs en taule. Mais tu es de retour à la vie civile, il serait temps que tu t'en aperçoives. Nous ne sommes pas derrière des barreaux.

Amy, de son visage fermé, accusait les pièces tapageuses. Elles étaient répugnantes, décorées d'une main lourde par Zizi Machinchose et ses boys, tous sapés Armani. De la jaquette flottante.

Madge se tourna vers Amy avec un sourire gracieux, amical même. Et Amy vit alors que Bodo Heisinger venait depuis l'autre extrémité du couloir ; il tenait une feuille d'aloe vera. Cela l'aurait amusée si elle n'avait pas été dans une telle colère. Madge saisit la feuille par la tige et renvoya Bodo auprès des Adletsky. Les lumières de la salle de bains s'allumèrent. « Vous n'entrez pas avec moi », dit Amy en la poussant de côté. Elle observa que Madge souriait et semblait plutôt satisfaite de cet accès d'humeur.

En fermant la porte contre Madge et en bouclant le verrou, Amy dut reconnaître qu'elle n'avait pas été gravement brûlée. Lui avoir délibérément versé du thé sur les genoux n'en était pas moins scandaleux. Et que cette femme essaie ensuite de s'imposer dans la salle de bains, comme même une sœur n'oserait le faire après l'adolescence. Cela donnait à réfléchir : folle ou pas folle ? Il devait bien y avoir un minimum d'intimité, même dans une prison pour femmes. Si cette femme était saine d'esprit, alors elle tirait plus qu'elle n'aurait dû sur la ficelle de son séjour derrière les barreaux. Madge sautait sur la moindre occasion de s'affranchir des bienséances féminines. Et il n'y avait aucune raison de supposer qu'elle était cliniquement maboule. Tyrannique, brutale, et peut-être que la taule vous faisait adopter des manières d'homme. Mais tout cela n'allait pas jusqu'à la folie.

La salle de bains des Heisinger était elle aussi

surchargée – trop de serviettes moelleuses, trop d'appareils. Amy ne voyait pas la frêle Mme Adletsky dans le jacuzzi rouge vif – elle serait balayée. À côté de la baignoire il y avait un W.-C. au couvercle matelassé. Amy avait ôté ses sous-vêtements et s'y était assise quand Madge entra. Elle venait de la chambre à coucher. Le W.-C. se trouvait dans un renfoncement entre le bain à remous et une cabine de douche. Amy n'avait pas remarqué à quel point la pièce carrelée était longue. Au-delà, il y avait des lavabos, des glaces en pied, ainsi qu'un dressing.

« Je ne crois pas qu'on m'ait particulièrement bien élevée, dit Amy, mais on m'a appris que s'il y a un endroit où l'on a droit à son intimité, c'est bien celui-ci.

– Oh, je vous ai amplement laissé le temps d'examiner votre brûlure. Le thé était à peine tiède. Les Mexicains font un excellent café mais ils ne savent pas préparer le thé. Je l'ai bien vu quand j'ai servi la vieille dame. Je voulais avoir une conversation privée, vous avoir à moi un instant. Voilà pourquoi. Ce n'était pas chou de la part de Bodo d'apporter l'aloe vera ? C'est un de ses remèdes chéris. C'est rouge mais ça n'est pas trop méchant. Vous avez été trempée, j'en suis désolée, et je paierai la note du teinturier, mais le thé ne laissera pas de marque – nous effacions les taches avec du thé quand j'étais jeune.

– Eh bien, laissez-moi me rhabiller.

– C'est ça, rajustez-vous, mon cœur, et ne faites pas attention à moi.

– Vous vous êtes conduite comme une vraie garce, dit Amy. Vous faites toujours tout ce qui vous passe par la tête ?

– Au moins, je n'ai pas placé un contrat sur votre tête. »

« Elle plaisantait sur sa tentative de faire abattre Heisinger », me raconta plus tard Amy.

« Je comprends que vous soyez fâchée. Mais je vous tiens pour une femme capable de voir le côté amusant de la chose.

– De me faire arroser de thé ?

– Je vous ai déjà expliqué le pourquoi. C'est arrivé assez vite, je le reconnais, et j'ai agi aussitôt que l'idée m'en est venue. Je me suis précipitée, comme vous l'avez dit. Mais c'était aussi une sorte de critique. Vous aviez tellement l'air d'une matrone.

– Quel air auriez-vous si je vous labourais le visage ?

– Ce ne sont que des mots. Vous vous mettriez mal avec les Adletsky. Ça vous rapporte de vous conduire en parfaite petite femme du monde. Cette Dame Siggy peut faire de vous la décoratrice à la mode dans son cercle de milliardaires. Imaginez la scène si je revenais avec du papier hygiénique sur les coups de griffe... Un moment, le temps que je sorte le tabouret de la cabine de douche. » Elle jeta une serviette sur le tabouret de plastique léger et s'adossa au mur. Les carreaux brillaient des feux de l'enfer.

« Pourquoi devons-nous avoir cette conversation dans la salle de bains ? Pourquoi pas dans votre boudoir ?

– C'est plus élémentaire ici. Vous sécherez plus vite si je mets le chauffage et la soufflerie. Vous pourriez ôter vos affaires et les accrocher au-dessus de l'aérateur.

– Je resterai comme je suis.

– À votre aise... À combien allez-vous estimer le mobilier ?

– Vous ne trouverez jamais cela suffisant.

– Il n'y a pas un seul objet médiocre dans toute la maison.

– Êtes-vous en train de me suggérer de saler la note ? Aucune chance de tromper quelqu'un d'aussi avisé que M. Adletsky.

– Bien sûr, un méga-milliardaire, un as des as. En outre, vous ne feriez jamais rien de malhonnête, ajouta Madge. Vous êtes de ces femmes qui clament haut et fort leur parfaite honnêteté.

– On dirait la vision du monde extérieur d'un taulard. C'est une opinion très répandue aujourd'hui, en prison et au-dehors, et ça donne à peu près ceci : " Si les faits étaient connus, ceux qui sont derrière les barreaux ne sont pas plus coupables que les autres, parce que personne n'est propre, et seuls ceux qui sont dedans savent démêler le vrai du faux. " J'imagine que vous devez le faire fructifier, tirer les avantages que vous pouvez de votre séjour en taule. »

Madge Heisinger ne répondit pas. Sans doute pesait-elle le pour et le contre, et en fin de compte elle décida de ne pas répondre à Amy sur ce point. Elle dit : « J'appréciais Jay Wustrin... Ça n'était pas un intellectuel. Il donnait une impression de force – je vois à quoi vous pensez –, mais nous n'avions qu'une relation professionnelle, strictement. J'ai défini la stratégie dans mon affaire et lui s'est chargé de la paperasse. Enfin, il est mort. Combien de temps cela fait-il ?

– Environ huit mois.

– Je suis allée à son office funèbre. Je ne me souviens pas de vous y avoir vue.

– Je n'ai pas pu.

– Quelques mois avant son décès, j'ai déjeuné avec lui. Ce n'était plus le bel homme que j'avais connu. Il n'y avait pas que sa santé à s'être dégradée. Il était dans un état globalement épouvantable. Ses habits sentaient mauvais, ses dents étaient sales, et quand il a essayé de me faire son sourire charmeur, ce rictus de la lèvre supérieure, c'était raté. Il m'a dit qu'il avait cessé d'exercer depuis un an.

– Je dirais plutôt trois, fit Amy. Il passait son temps à traîner dans les librairies de Michigan Avenue. Il avait des ardoises et il était fraîchement accueilli. Avec ça, les clients n'avaient pas envie de l'entendre citer ses poètes favoris. Cela remontait au temps où nous étions étudiants. Il mémorisait des passages pour les réciter quand il faisait du plat aux filles. Après notre mariage, je suis allé voir dans ses livres. Les passages étaient soulignés, et tous tirés du chapitre 1. Il n'a jamais lu un livre entier de toute sa vie. Tenez, un échantillon : " Le visage d'un homme est la chose la plus étonnante qui soit sur cette terre. Un autre monde brille à travers lui. Il est l'accès de la personnalité au procès du monde, avec sa singularité, son irrépétibilité. À travers le visage nous appréhendons, non pas la vie corporelle d'un homme, mais la vie de son âme. " L'un de ses Russes favoris a écrit ça. Quand nous sortions ensemble, il le disait comme si c'était de lui.

– Il se gardait bien de me raconter des conneries pareilles, dit Madge. Qui a écrit ça ?

– Souligné à la règle, en rouge. Rien que le chapitre 1. Le reste, il ne l'a jamais regardé.

– Assez retors.

– Feignant d'être un intellectuel à des fins de séduction. Comme un article de *Playboy*. Enseignant aux jeunes gens comment tisser la toile.

– Mais vous avez vous-même mémorisé ces phrases ?

– C'est vrai, vous voyez ?

– Enfin, la dernière fois que je l'ai vu, il était clair que la roue avait fini de tourner pour lui, dit Madge. Il n'avait qu'un seul centre d'intérêt dans sa vie, et il devait y renoncer. Donc il était temps de partir. C'est alors qu'il est devenu doux et faible. J'étais désolée de le voir en rade. Il parlait de choses intimes... »

Aussitôt qu'elle prononça le mot « intime », Amy sut amèrement que Madge allait en venir à ce que Jay lui avait dit des bandes.

« Les preuves contre moi ? il m'a proprement coincée, dit Amy. Alors ne vous sentez pas trop privilégiée. Il a passé ces bandes à quiconque voulait les entendre. Ce qu'il a fait, c'est engager une agence. Il leur a donné une clé de l'appartement. C'est comme ça que ç'a été monté. Les spécialistes ont piraté mon téléphone pendant des mois. Même le lit était équipé. Il y avait des micros dans le matelas. Toutes les bandes ont été passées devant le juge au tribunal. Jay a monté le parfait dossier d'adultère contre moi... »

Amy n'était que trop familière de l'expression qu'elle voyait se dessiner sur le visage de Madge. Elle l'avait vue chez d'autres – un air oblique d'amusement, qui se dessinait sur une joue à demi détournée.

« Oui, il me l'a raconté, dit Madge. Est-ce que j'ai voulu écouter ses bandes ?

– Est-ce que vous avez voulu les écouter ?

– Eh bien, je sortais tout juste d'un établissement pénitentiaire. On ne trouve pas de journaux là-bas. La télévision, oui, mais pas de *Tri-*

72

bune. Cela vous fait sentir combien vous êtes tenu à l'écart, tout ce que vous manquez.

– Notre divorce a été à peine mentionné dans les journaux, dit Amy. C'est pour ça que Jay saisissait la moindre occasion de passer les bandes à qui voulait bien les entendre. Je ne pense pas que c'était un pur besoin de vengeance...

– On comprend qu'il ait été profondément blessé », dit Madge. Ce n'était qu'une polissonnerie, pas comme de vouloir faire buter Bodo dans le garage.

Madge ajouta : « J'imagine que cela faisait mauvais effet dans votre milieu – ces cris, ces gémissements et tous ces mots cochons. »

Amy entendait le sang affluer sous son crâne. Quand il descendit à son visage, elle en éprouva la violence. Sa bouche s'assécha. « Il observait donc vos réactions tandis que vous écoutiez au casque ?

– Une dizaine de minutes d'enregistrement, pas plus », dit Madge.

Amy songea : elle nous met à présent dans le même sac. Nous sommes pareilles, elle et moi, et toutes deux publiquement démasquées. Mon scandale ; son procès durant des semaines. Ensemble, on fait une belle affiche.

Amy m'expliqua cela en détail, dans la mesure du possible – tout l'environnement immédiat, jusqu'au couvercle de cabinet matelassé, au devant de sa jupe trempé et au flux de chaleur tropicale propulsé par le ventilateur dans la longue salle de bains.

« Selon le marché que j'ai passé avec Bodo, c'est moi qui garde l'argent du mobilier – quoi que paient les vieux... Je ne supporte plus la vue de ces commodes et de ces causeuses. Ç'a été mon cadre de vie pendant dix années effroyables. Ce sont peut-être ces meubles qui m'ont amenée à ce plan imbécile. Le seul fait de voir, jour après jour, toutes ces saloperies ne me pesait pas seulement sur le cœur, mais ça me faisait mal aux tripes, et ça a fini par me monter à la tête.

– Adletsky ne paiera jamais un million de plus pour votre appartement, dit Amy. Ce n'est pas si facile de faire cracher un milliardaire. Ne vous attendez pas à ce qu'il lâche son argent. Il préférerait claquer la porte et oublier la transaction.

– Si elle veut jouer les jeunesses qui se lancent dans la vie, il devrait la laisser faire. Qu'est-ce que c'est l'argent pour lui ? Le fric n'est pas pour moi. Il est pour Tommy Bales, dit Madge.

– Qui ça ? » demanda Amy. Mais elle replaça rapidement le nom. Tommy Bales était le zozo incompétent qui avait accepté de faire la peau à Bodo Heisinger... « Qu'est-ce qu'il vient faire là-dedans, Tommy Bales ?

– Il faut que je fasse quelque chose d'ordre pratique pour le dédommager des trois ans qu'il a perdus au trou, plus une année de préventive avant le procès. Et il n'avait rien de solide avant cela. Alors j'ai maintenant le projet de l'installer en affaires. C'est un autre point sur lequel je voulais votre opinion – votre aide, pour être franche. »

Cet appel à la franchise devra être mis de côté pour le moment.

Qu'est-ce que cela signifiait qu'Adletsky et Dame Siggy eussent atteint un grand âge, qu'ils fussent honorés en tant que Juifs multimilliardaires, et qu'ils fussent ce que les Chicagoans appellent des « personnalités » ? Ou bien, dans le langage du mythe, des « Youpins pourris de fric », représentants des puissances de l'ombre et des maîtres secrets du monde ?

Beaucoup plus tard dans la journée, parlant à Amy de M. et Mme Adletsky, je dis : « D'accord, ils sont à la retraite. Ils n'ont que des loisirs, et c'est un passe-temps pour eux que de marchander avec Bodo Heisinger, de discuter et de chicaner. Tôt ce matin, ils ont quitté la maison et ont traversé la tempête dans leur limousine extralongue. Ils étaient bien au chaud dans le luxueux intérieur salon. Puis, pendant deux heures, ils ont croisé le fer avec Madge et Bodo... Ils n'ont pas eu l'occasion de regarder au-dehors – de voir les gens dont les agissements insensés remplissent les colonnes des journaux...

– Où veux-tu en venir, Harry, avec une telle introduction ? demanda Amy.

– Personne n'a de loisir, dis-je. La retraite est une illusion. Pas une récompense, mais un piège. Le revers pathétique du succès. Un raccourci vers la mort. Les greens des golfs ressemblent trop à des cimetières. Adletsky ne s'abaisserait jamais à jouer au golf. Il a raison de continuer à négocier et à trafiquer comme il l'a fait de deux à quatre-vingt-douze ans. »

Ce genre de spéculations avait toujours mis Amy mal à l'aise. Je parlais déjà ainsi au lycée. Elle n'écoutait pas vraiment. Elle considérait cela comme l'une de mes mauvaises habitudes, et peut-être avait-elle raison. Dès le départ, mon goût de la théorie avait fait obstacle entre nous. « Tu n'es pas vraiment celui que tu prétends être, me disait-elle parfois. Tu as lu tant de livres, mais curieusement, au fond de toi tu n'es pas livresque – tu es normal. »

Berner, son premier mari, avec qui elle avait eu deux filles, ne faisait pas de déclarations théoriques. C'était un joueur. Jeune mariée, elle l'avait accompagné aux matches de football à Soldier Field, aux rencontres de hockey au Stadium. « J'aimais ça, disait-elle. Pas ton genre, Harry. Tu es du genre universitaire – tu es studieux, tu n'as pas l'air d'un intellectuel, mais tu en es un. » Elle n'aimait pas me voir affirmer ma supériorité. D'un autre côté, j'étais un excentrique, disait-elle. J'avais l'air si bizarrement indépendant. « Tu ne révèles jamais plus d'un dixième de ce que tu penses ou sais. Tu étais marxiste. Pas vrai, pendant un temps ? Qu'est devenu ce livre que tu as écrit sur Comment-s'appelle-t-il-déjà... ?

– Walter Lippmann. Personne n'en a voulu. Il n'a jamais été publié. »

Berner, qu'elle épousa à la sortie du lycée, hérita d'une petit usine d'imperméables. Il la perdit au jeu. Il prit un emprunt sur la maison d'Oak Park, et bientôt Amy et ses filles furent à la rue. Berner disparut pendant un bon bout de temps. Elle obtint le divorce. Les filles étaient encore petites quand elle épousa Jay Wustrin.

« Berner ne nous a même pas abandonnées, disait-elle. Il avait à peine remarqué que nous étions là.

– Il n'avait pas besoin d'une famille. Il avait seulement besoin d'en quitter une. Je n'arrive pas à comprendre comment il était possible de te quitter, Amy. Tu étais de toute beauté.

– Pour toi, peut-être. Mais même pas pour toi. Tu n'es pas venu me faire la cour.

– J'étais moi-même marié à l'époque.

– Peut-être. Mais ça n'empêchait pas *ta* femme de courir.

– Non. Et j'ai été un mari d'une stricte fidélité

77

pendant une douzaine d'années... Je t'aimais, Amy », dis-je. Cela fit un bruit retentissant. J'avais l'impression, en m'exprimant ainsi, d'être une poterie – une grande jarre de terre glaise. Parler d'amour me rendait maladroit. Je tournai mes pensées vers ma mère, que je n'aimais pas. Je ne pouvais lui pardonner de m'avoir mis dans un orphelinat pendant qu'elle voyageait de ville d'eau en ville d'eau. Elle boitait, c'est vrai. Le handicap était bien réel. Elle marchait avec une canne. Mais les difficultés n'étaient pas entièrement physiques. Dans les trains, ses riches frères, mes oncles les fabricants de saucisses, lui réservaient toujours un compartiment salon. Le problème était que cela l'ennuyait d'être l'épouse d'un simple ouvrier. Pour couronner le tout, je lui ressemble, sauf au plan de la carnation. J'ai le teint quelque peu mongol et cuivré. Elle était toujours très pâle. Elle enroulait ses cheveux et dressait son chignon sur sa tête. Ses joues étaient larges et douces. Son nez faisait un crochet. J'ai hérité de ses lèvres saillantes. Pris un par un, ses traits n'étaient pas séduisants, pourtant son visage était séduisant, et même remarquable – comme celui d'une très belle femme tartare au teint particulièrement clair. Les femmes de sa génération qui s'intéressaient aux choses de l'esprit portaient le pince-nez. Un de ces instruments pendait à son cou odorant.

Un autre trait commun : ma mère gardait ses

réflexions pour elle. Cela me procurait une satisfaction incompréhensible que de refuser à
presque tous l'accès à mes pensées et opinions.
Les gens cherchaient toujours à se confier à moi,
bien que je n'aie jamais rien encouragé de tel. Je
ne disais presque rien qui fût de nature personnelle. Sauf à Amy Wustrin.

Nous avions, disons, une vingtaine d'années
devant nous. On devrait probablement éliminer
les cinq dernières – prévoir une provision raison-
nable pour les atteintes du grand âge. Cela laissait quinze années de plein exercice.

J'étais prêt dorénavant à faire la paix avec mon
espèce. Pour la plupart de ses représentants, je
m'en rends compte rétrospectivement, j'avais
généralement un couteau à portée de main.

Dans la dernière phase de la maturité, on pouvait, on devait, être franc avec soi-même.

« Si tu étais fidèle à une femme distante et
froide, dit Amy, Jay ne l'était pas du tout, avec
moi, alors que je faisais de mon mieux. »

Cela me laissait perplexe. Jay et moi étions
amis depuis l'âge de douze ans, et il ne manquait
jamais de me dire avec la femme de qui il cou-
chait. À la soirée du Nouvel An, il invitait toutes
ces femmes infidèles, passées et présentes, à la
réception que donnaient chaque année les Wustrin. Tandis que je bavardais avec un mari cocu,
Jay passait derrière l'homme en me faisant signe
de ses sourcils. Que les faits soient connus était

essentiel. Et ils devaient être enregistrés par moi tout particulièrement. Mon opinion lui importait, et il me chapitrait même, essayait de m'enseigner sa propre vision – la bonne vision – de lui-même. Il disait que j'étais en retard sur l'époque en matière sexuelle. « Si tu ne suis pas le mouvement de l'histoire, tu n'existes pas », c'est ce qu'il m'avait dit. Il avait besoin d'être estimé et je devins, en quelque sorte, le réflecteur idéal de ses prouesses sexuelles. Il était « la vraie vie ». J'étais le scribe qui la consignait. Il disait : « Pourquoi as-tu choisi Walter Lippmann pour faire ton numéro ? Tu devrais plutôt me prendre, moi – représentant la libre sexualité.

– Pour faire mon numéro ?

– Allons, Harry ! Comme exemple. Comme figure d'avant-garde de notre ère d'émancipation. »

Ce n'était pas un secret que j'avais aimé Amy, mais c'était un béguin de collégien. Personne, bien sûr, ne se souciait plus d'aimer quiconque.

« Pourquoi imagines-tu que je t'ai invité à nous rejoindre dans la douche du Palmer House ? » demanda-t-il.

La bonne réponse aurait été : pour me guérir de mes sentiments. C'était typique de ses dispositions – sa version d'un traitement répondant à des principes réalistes.

Je dois rendre cette justice à mon vieil ami Jay Wustrin : il était idiot quant aux questions les plus importantes. Il abordait toutes les choses justes pour toutes les fausses raisons, pour emprunter un tour de phrase à T. S. Elyat, son idole.

Plus tard ce jour-là, quand la tempête traversa la ville et s'abattit sur la rive orientale du lac, Amy répondit à certaines de mes questions longtemps restées informulées. Ce qui se passait lors des réceptions de Nouvel An ne lui avait jamais été caché. « Il ramenait toutes ses bonnes amies à la maison, en compagnie de leurs andouilles de maris, dit-elle. C'était son grand festival annuel – il adorait ça. J'acceptais même des rendez-vous bidons pour prendre un verre avec ces femmes. Je les rencontrais dans un bar du North Side et on s'installait dans un box. Leur voix était tremblante de culpabilité et de conciliation. La plupart avaient déjà été larguées... Il disait qu'il te racontait ses cinq-à-sept.

– Une partie. Il me tenait plus ou moins au courant. Je ne tenais pas à avoir tous les détails », répondis-je.

Faux. Je méprisais ses activités, mais je ne me lassais jamais des récits (traduits en mes propres termes) de ces entreprises de séduction. Des filles par lui. De lui par elles. Durant plus de quarante ans, en commençant par des femmes qui travaillaient dans la blanchisserie paternelle. Sur des sacs de serviettes et de draps sales, après cinq heures de l'après-midi, lorsque son père lui avait confié la charge de fermer pour la nuit.

Je me souvenais de ses anecdotes alors qu'il les avait depuis longtemps oubliées.

« Je faisais une course pour l'imprimeur, disait-il (un de ses petits boulots du temps de la fac de droit). J'étais au croisement de Washington et Michigan quand, au moment de tourner vers le sud, j'ai vu une fille tendre le pouce pour faire du stop. Alors j'ai ouvert la portière et elle est montée. Elle allait à South Shore, je lui ai dit que je pouvais l'emmener jusqu'à la Cinquante-septième rue. Mais elle m'a dit : " Pourquoi pas jusqu'au bout ? " Alors je l'ai prise au mot et j'ai dit : " Si c'est jusqu'au bout, je suis ton homme. Tu habites seules ? – Seule. " Alors je suis monté avec elle.

– Tu aurais pu te faire assommer et détrousser.

– J'ai un instinct pour ces choses-là, dit-il. Quand on s'est déshabillés, elle a pris ma bitte dans sa main et elle a dit : " Enfin, voilà une *vraie* bitte. Faisons-la rentrer, et quand elle sera dedans, tire-moi dans le cœur avec. "

– La fille était jolie ?

– Son corps était terriblement sexy. Elle m'a vraiment atomisé. »

À quoi bon dire : « C'était une nymphomane. Tu ne marques pas de point. » Non. Avec une patience orientale, je restais tranquille tandis qu'il me chargeait comme une bête de somme avec ses anecdotes. Si bien que longtemps après qu'il eut oublié, je conservais le souvenir de ses après-midi et de ses soirées de cul. Même de ses matinées, quand, posté dans une entrée d'immeuble, il regardait un mari partir au travail.

« Laissais-tu à la femme le temps de changer les draps ?

– Changer les draps ! D'où tu sors des idées pareilles ? Faut que ça roule ! »

Ses gros yeux, dilatés au maximum, réclamaient l'admiration. Chaleur, cohue, membres et torses, luxure, crasse et cabotinage. Les caméras étaient toujours braquées sur lui. Pour ma génération, ces regards décochés à la caméra étaient monnaie courante. Comme le film tiré de *Scène de rue* d'Elmer Rice – la caméra décrivant un panoramique mélodramatique depuis la foule qui encombrait East Street, en remontant les escaliers de secours jusqu'à la fenêtre de la femme adultère, pendant que l'auditoire était plongé dans l'hébétude par une musique suggestive.

Aux yeux de Jay, je noyais mes émotions dans mon visage, à la chinoise.

Amy ne s'y trompait pas. Elle avait compris qu'il me tenait informé de ses activités sexuelles. Jay croyait qu'elles étaient mémorables. Qu'elles devaient être racontées.

Elle me demanda plus d'une fois si Jay m'avait passé les bandes accusatrices.

« Non, répondis-je à chaque fois.

– Elles ont été entendues au tribunal. Au bout de quelques minutes, j'ai demandé au juge la permission de sortir. J'ai reconnu que c'était ma voix, et il m'a dit que je pouvais y aller.

– Tu ne t'es jamais doutée que Jay te faisait écouter ?

– Jamais. Et il a toujours été transparent. Il ne pouvait pas se retenir de te raconter ce qu'il manigançait. Il n'est pas du genre à échafauder en silence des coups à trois bandes.

– En tant qu'avocat de divorces il a bien dû recommander des pièges à ses clients, maris ou femmes.

– Bien sûr. Il me racontait ça. Il travaillait avec plusieurs agences de détectives, dit Amy.

– Tu ne pensais pas qu'il te ferait le coup à toi.

– Il avait perdu tout intérêt pour moi de ce côté-là. Il y a environ dix ans, on en était arrivés au stade terminal de la lingerie noire et de faire ça devant la glace. Je devais me pencher par-dessus le dossier d'un fauteuil. »

J'eusse préféré qu'Amy ne me racontât pas des choses pareilles.

À mon retour de Birmanie et du Guatemala, je lui avais dit combien elle avait compté dans ma vie. Bien sûr, elle en ignorait l'entière mesure. Et elle ne me demanda pas non plus de détails. En m'interrogeant, elle se serait ouverte elle-même à mes questions, et cela, inévitablement, aurait appelé des précisions. Mieux valait en rester aux généralités en pareille matière.

Les gens comme Jay Wustrin se présentent de manière à faire du théâtre ou de la réclame – ils mettent en avant une image. Leur idée d'eux-même est une idée publique. Ainsi, Amy en lingerie noire se faisant prendre par derrière par son gros mari peut devenir un tableau qui mérite d'être encadré. Accrochez-le dans votre chambre d'amis... Votre intériorité devrait être – mérite d'être – un secret sur lequel personne n'a besoin de s'exciter. Comme la vieille blague... « Q : Quelle est la différence entre l'ignorance et l'indifférence ? – R : Je ne sais pas et je m'en fiche. »

Tout le monde se fiche un peu de vos secrets les plus intimes. Ils peuvent importer en politique. Le rôle joué par John Kennedy dans l'assassinat de Diêm mérite d'être connu. Qu'il ait fait amener des femmes dans le Bureau ovale ne le rend pas différent d'autres chefs de l'exécutif, installés à Caracas ou Macao. J'y insiste parce que cela a été pour moi un principe intangible que de ne pas divulguer quoi que ce fût à ceux qui étaient « proches » de moi. Qui plus est, dès qu'on va plus loin, ce qui est connu est tout aussi inexact et confus que la nouvelle information que vous allez additionner à l'ancienne.

Quand on m'interrogeait, je me fermais comme une huître. Personne ne savait ce que je faisais en Indochine ou en Birmanie. S'il y avait des femmes dans ma vie. Ou des enfants. Ou des dictatures militaires. Ou des arrangements avec la Mafia. Ou des missions de renseignement. Ou des comptes en Suisse. C'est peut-être que je noyais effectivement mes actes, ma nature, dans mon visage. Et je ne fis jamais de réel effort pour communiquer avec Amy. Chaleur ? Oui. Affection ? Aussi. Mais après que nous eûmes tous trois quitté la douche du Palmer House et que Jay se fut soudain souvenu de son audience au tribunal et eut filé et que j'eus embrassé Amy sous le sein et à l'intérieur des cuisses, pas un mot ne fut dit de mes sentiments. La seule mention qu'elle fit de l'épisode de la douche fut pour dire que Jay m'avait plus touché, moi, qu'elle.

Je lui dis que cela ne signifiait pas grand-chose.

« J'étais là à cause de toi, lui dis-je.

— Si tu t'intéressais à moi, tu aurais pu m'envoyer un signal plus clair », dit-elle. De ses yeux, elle abaissa mon regard sur ce qu'elle était devenue. Puis elle ajouta : « Personne ne semblait capable de t'atteindre. Pourquoi as-tu toujours été aussi secret ?

— Eh bien, j'étais un gosse malhonnête, et je mentais à tout le monde. Je cachais des choses à mes amis. Je trichais, je volais et j'escroquais.

— C'est peut-être pour ça que tu as toujours eu cette allure distinguée et si peu enfantine.

« – J'avais l'air si particulier ? Cela ne me posait pas de problème d'être malhonnête. Si je voulais survivre, me semblait-il, il fallait que j'embrouille tout le monde.

– Était-ce parce que tu étais un petit escroc que je suis tombée amoureuse de toi ? demanda Amy. Pourtant, au Palmer House, quand tu en avais l'occasion, tu ne l'as pas saisie. »

J'avais ma réponse toute prête, ayant médité et ressassé la scène des centaines sinon des milliers de fois. « Simplement parce que tu étais à ma disposition. Comme tu avais été à la disposition de Jay... »

Elle dit : « Ç'aurait été le produit générique, comme disent les pharmaciens, pas la spécialité. Pas toi et moi, mais n'importe quel homme avec n'importe quelle femme. À y repenser, j'aurais pu me sentir une traînée.

– Quelque chose de ce genre...

– Mais cela aurait tout de même été particulier. Cela nous aurait liés l'un à l'autre.

– J'étais déjà lié à toi », dis-je.

C'était une discussion difficile, franche de part et d'autre, et donc nécessaire. De mon côté, cependant, c'était extrêmement douloureux. Pour la bonne raison que j'étais tombé amoureux d'elle alors que j'étais adolescent. Ce sentiment foudroyant vint, comme on dit, « d'on ne sait où ». Tout – exactement *tout !* – était comme précédemment. Il y avait toujours des cuisines avec des oignons et des épluchures de pommes de terre dans l'évier, et des tramways grinçant sur leurs rails. Ainsi cet amour, droit et simple, musique involontaire, était une gêne pour un petit escroc comme moi. Dans le labyrinthe des secrets (qui firent plus tard de moi un « homme de mystères »), cet amour, direct, nature, me submergea. Je ne pouvais m'empêcher d'avoir honte du caractère ordinaire et petit-bourgeois de ce rapport avec Amy. Elle était un produit des classes moyennes. J'étais une sorte de révolution-nariste. « Petit filou », m'appelait ma mère impa-tiente. Cela ne signifiait pas que j'étais littérale-ment un escroc ; cela voulait dire que j'avais un caractère dissimulé. Je n'allais pas devenir un petit-bourgeois pour les beaux yeux d'Amy et me fondre dans les classes moyennes. Je ne voulais pas jouer les hypocrites. Cela suffit à l'époque pour épaissir mon masque.

Je dirai une chose pour ma défense : je n'étais pas jaloux de Jay Wustrin prenant Amy devant la glace en pied, ni du New-Yorkais dont les conver-sations sexuelles avec elle étaient intégralement enregistrées sur des bandes passées devant le juge au tribunal. Faire souffrir, et même commettre un meurtre, était justifié par le mar-quis de Sade du moment que cela procurait un plaisir sexuel intense. Amy, sur les bandes, était loin du compte – un simple bip au milieu du vacarme sexuel mondial.

Je n'aurais jamais osé penser qu'Amy attendait son heure tandis que je me rapprochais d'elle. Ce fut un long travail de renseignement pour moi, déchiffrant un code après l'autre. Retenu ici pendant une semaine, là-bas pendant une décennie, je savais toujours où elle se trouvait et ce qu'elle fabriquait, plus ou moins.

Bien sûr, elle n'était plus la beauté qu'elle avait été. Son visage avait commencé quelques années plus tôt à perdre de sa plénitude. Le tracé de son menton aujourd'hui ne se comprenait qu'en remontant à sa forme antérieure. Je n'avais que moi-même à blâmer pour ce que j'avais manqué. Du reste, je ne l'avais pas complètement manqué.

Il devenait clair à présent, comme une diapositive floue soudain mise au point, que j'avais été en contact quotidien avec Amy, année après année, soutenu par elle à travers des consultations imaginaires, y compris dans des entreprises souterraines et des manœuvres commerciales. Durant de longues années, j'avais vu les sentiments que j'avais pour elle comme du pur kitsch. Et le kitsch ne se marie pas bien avec les formes supérieures d'accomplissement personnel que je recherchais.

Parfois, il me semblait qu'Amy avait de cela une compréhension plus que correcte. Avec un peu de chance, vous découvrez que les gens qui peuplent votre vie, de manière permanente, sont capables de suivre vos motivations les plus intimes et les plus profondément cachées. Or, feu mon ami Jay Wustrin avait été ouvert, théâtral. J'étais secret, peu charitable, prêt à coller mon poing dans l'œil de mon voisin. Jay *croyait* qu'il était ouvert ; je *croyais* que j'étais fermé et dissimulé.

Mais Amy se rendait bien compte que je me tournais sans cesse vers elle et que tous mes efforts pour me détacher d'elle avaient totalement échoué. Elle comprenait ce qu'un premier amour peut faire. Il vous frappe à dix-sept ans et, telle une paralysie infantile, bien qu'il attaque le cœur et non la moelle épinière, lui aussi peut être dévastateur.

Eh bien, donc, le vieil Adletsky s'y était-il laissé prendre quand il m'avait recruté pour son braintrust ? À sa place, l'aurais-je recruté ? Il était passé de l'argent (le fondateur d'un empire) à l'observation personnelle, et n'avait pas mal réussi avec Frances Jellicoe et son mari ivrogne et turbulent.

Il parlait toujours de Frances avec respect et me disait qu'en cette occasion j'avais révélé l'observateur en lui.

« Ce n'est pas tant une compétence, n'est-ce pas, monsieur Trellman ? C'est un mode de vie.

– Si vous l'avez, c'est que vous l'avez toujours eu », répondis-je.

Les observations personnelles qu'avait effec-

tuées Adletsky durant qu'il bâtissait son empire
étaient d'un ordre différent, inévitablement.
Lors d'une acquisition ou d'une fusion, vous êtes
en partie guidé par votre conseiller financier ou
stratégique ; néanmoins vous ne manquez pas
d'en retirer votre propre impression, votre
propre « prise », au sens cinématographique, des
participants ou acteurs. Je n'avais qu'une idée
très générale de ce qu'il avait pu voir en sept ou
huit décennies de telles observations. Mais l'accent avait souvent dû changer. Fatalement, on
épuise les étapes sur le chemin de la vie – après
l'enfance, l'âge adulte, la maturité avancée.
Alors, pour un homme de l'âge d'Adletsky, que
pouvaient signifier des termes comme « plus
tard » ou « plus tôt » ? Ayant cela à l'esprit, je lui
avais raconté un jour que dans ses dernières
années Churchill était ravagé par l'ennui et ne
songeait plus qu'à mourir.

Adletsky n'avait pas été surpris. « En son
temps, il avait tout fait. Pensez seulement à ce
que cela devait signifier pour lui de ne rien avoir
à faire et de ne plus avoir aucun pouvoir. Un
jour, c'est Hitler, Roosevelt, *La Charnière du des-
tin*, puis il n'y a plus rien. Rien qu'un tas de fauteuils élimés. »

Tandis qu'il parlait, son visage étroit, crochu,
et ses vieilles tempes veineuses m'invitaient à
faire ce que je voulais de ses paroles.

Lors d'une de mes visites, il me dit : « Je n'ai

jamais de crainte que vous notiez ou rapportiez nos conversations. Vous êtes trop réservé et fier de votre réserve pour même y songer. C'est ancré en vous, Harry. »

Tu n'es jamais passé voir M. Adletsky à l'improviste. Tu ne l'as rencontré que sur rendez-vous. Mais ses raisons pour t'inviter étaient souvent obscures. Il se demandait, disait-il récemment, si je pourrais jeter un coup d'œil aux commodes et armoires chinoises de Bodo Heisinger.

« Pour cela, il vous faudrait quelqu'un de Gump's à San Francisco.

– Allons, si c'est du toc, je suis certain que vous pourriez le déceler. N'est-ce pas ?

– Peut-être. »

Il remplit mon verre à cognac de sa propre main de milliardaire. C'était comme d'être servi par Napoléon Bonaparte – Napoléon, le prisonnier de Sainte-Hélène. Il n'y avait pas grand-chose à faire pour le prisonnier dans son exil. La vieillesse était l'exil d'Adletsky. Pour remplir ses journées, Napoléon le banni lisait des centaines de Mémoires, jouait médiocrement aux échecs, était un piètre cavalier. Il n'avait jamais aimé monter. Il y avait une grandeur abstraite en lui, disait l'un de ses compagnons d'exil. Chez Adletsky, rien n'était abstrait. De temps à autre, une sorte de rêverie le nimbait, mais rien qui ressemblât à de la grandeur. Quand il me demanda d'être de son brain-trust, il devait plaisanter, bien sûr. Pour commencer, il n'aurait jamais prétendu avoir la moindre ressemblance avec Franklin D. Roosevelt. Quant à Napoléon, celui-ci ne pouvait avoir aucune place dans ses pensées.

En cette occasion, je trouvai qu'il y avait quelque chose de pesant ou de maladroit dans ma position. Assis sur une causeuse tendue de brocart, je me sentais pataud, physiquement mal assorti. Ces entretiens me mettaient souvent mal à l'aise quant à mes pouvoirs supposés.

« Je pense que vous seriez capable de repérer les pièces en toc de Bodo. Bien que ce soit probablement Madge qui les ait achetées », poursuivit Adletsky. Puis il changea de sujet. « Je me pose des questions à votre sujet. Vous vous êtes établi en Birmanie, puis au Guatemala. Vous avez réussi. Alors pourquoi revenir ici, dans *cette* ville ? C'est une base formidable pour les entrepreneurs. Mais vous n'êtes pas un entrepreneur. Alors qu'y a-t-il ici pour vous ? L'Opéra ? L'Art Institute ? Votre famille ? Vous pourriez vivre à New York. Ou à Paris.

– Paris n'est que New York en français. »

Pour un homme qui avait tant d'argent, Adletsky possédait fort peu de gestes. Il tournait à présent la paume de sa main vers le haut, peut-être pour dire qu'il ne lui était jamais venu à l'esprit de donner des notes aux villes du monde. Mais en ouvrant sa vieille main, il m'invitait peut-être à parler. Il disait : Pourquoi ne pas vous mettre à table ?

C'était encore une possibilité. Eh bien, peut-être pourrais-je tenter le coup. Je répondis donc simplement à Adletsky : « J'ai un lien ici.

– Je vois. Je vois. C'est une réponse franche. Vous ne pourriez pas être plus franc. Cela écarte Rangoon, Guatemala City, Paris, New York et un tas d'autres villes. Deux de la liste, en outre, sont des dictatures militaires. Et vous ne seriez pas à votre aise sous une dictature militaire.

– Je ne me sens pas bien sous les Tropiques », m'entendis-je dire.

J'aurais pu ajouter que j'aimais l'hiver, le sol couvert de neige et les pelisses à l'ancienne mode que portaient les lycéennes – des pelisses aux gros boutons de cuir tressé – et que j'estime hautement l'odeur de musc dégagée de la four-rure par la chaleur du corps d'Amy quand elle défaisait ces boutons. La lourde toque ronde avait reculé sur sa tête quand elle m'avait attiré contre elle. Oui, elle avait tendu les bras et m'avait attiré contre elle.

Et le jour de la tempête qui traversa Chicago pour s'abattre sur la rive orientale du lac Michi-gan, Adletsky me téléphona dans ma tanière de Van Buren Street. Il dit : « Notre amie Mme Wus-trin va avoir une journée difficile au cimetière. Il ne devrait pas être permis qu'une femme accomplisse seule une telle corvée. Peut-être devrions-nous lui prêter main-forte. »

Je répondis sèchement. Il n'y avait aucune raison pour que je me confesse à lui. Adletsky *avait* deviné quelque chose de mes sentiments. Peut-être avait-il, après tout, appris quelque chose à force de faire marcher ses méninges. Des confidences, cependant, auraient été déplacées. On ne débat pas des grandes lignes de sa vie affective avec l'un des hommes les plus riches du monde – même s'il vous veut du bien. Peut-être vit-il que mon mystère n'était, au fond, rien d'autre que de la misère.

« Je vais vous dire à quoi je songeais, dit Adletsky. Dame Siggy et moi allons bientôt faire notre sieste. Je vous envoie la limousine – si vous en êtes d'accord – avec un deuxième chauffeur. Le chauffeur numéro deux ramènera la voiture d'Amy au garage. Numéro un ira où vous lui direz d'aller. Êtes-vous libre aujourd'hui ? »

Aimable de la part du vieux bonhomme de me poser la question. J'étais très surpris par son appel. C'était comme si le directeur de la Réserve fédérale téléphonait pour un renseignement ou un service. Assisterais-je à l'exhumation et au réenterrement de mon vieil ami Wustrin ? Soutiendrais-je Mme Wustrin ? Elle n'était pas à proprement parler sa veuve. Cela avait quelque chose d'une intervention institutionnelle dans la sphère privée.

Ma réponse fut minimale. « OK, dis-je. Je vais faire mon possible.

– Pour ajouter à son budget difficultés, dit Adletsky, à qui la verve ou l'invention donnait des accents plus étrangers (*qu'était-ce* donc qu'un « budget difficultés » ?), Mme Bodo Heisinger lui a versé du thé brûlant sur les genoux ce matin. Elle vous le racontera sûrement elle-même. » Elle était rentrée se changer. Elle avait même appliqué l'aloe vera. Cela soulageait. « La seule et unique chose utile et vraie que j'aie jamais apprise de Heisinger, cette vieille cruche », disait Amy.

J'avais appelé le bureau du cimetière depuis la limousine. Oui, Mme Wustrin était arrivée un peu plus tôt, munie de toutes les autorisations nécessaires. Elle était ressortie à présent. Souhaitais-je lui parler ?

« Non, répondis-je. Mon nom est Harry Trellman. Dites-lui seulement que je suis en route. Je vous appelle sur un téléphone cellulaire. » Comme si c'était une nouveauté. Il y a des dizaines de millions de téléphones cellulaires. Mais *moi* je n'en avais pas. Je suis moins communicatif que la plupart des gens. Il n'était pas dans mes habitudes de me vanter d'utiliser un instrument à la pointe du progrès.

Bien sûr, je connaissais le chemin du cimetière – il ne m'était que trop familier. On prend plein ouest par la voie rapide de Congress Street et on sort à Harlem Avenue, à la limite de la commune de Chicago. Quand j'étais gosse, il y avait des terrains vagues par là-bas. À présent, ce sont de petites industries, des auberges, des pizzerias, des jardineries et, bien sûr, la ceinture pavillonnaire – des dizaines de milliers, des centaines de milliers de pavillons en briques.

Je n'avais jamais voyagé seul dans ce paquebot de limousine. Tant de luxe insonorisé et de garnitures en veau, le bar et son cristal taillé, ses carafes à cognac.

La maîtrise de soi est l'un de mes dons. Ne pas sembler impressionné. Un air drastiquement précolombien. Peut-être est-ce dans l'air de ce continent. Les Peaux-Rouges étaient réputés pour cela, et aujourd'hui les fils et les filles des immigrants savent eux aussi prendre un air de dignité solitaire. Et puis il y a quelque chose dans ces immenses limousines qui évoque les Steinway de concert et, référence plus appropriée, les funérailles. Dans cet instrument roulant, je passai le portail en fer forgé du cimetière.

Dame Siggy avait eu raison de prédire un sol humide. Les sols sablonneux abondent à Chicago. Les eaux de fusion de la dernière glaciation ont laissé ici un immense lac et une bonne partie de la ville s'élève sur une série d'anciennes plages. Plus loin, ce sont les prairies – une terre onduleuse telle qu'on doit la retrouver en Sibérie centrale. Ainsi les tombes sont creusées dans l'ancien fond du lac, vieux de vingt ou trente milliers d'années. Les grands arbres ne prospèrent pas dans ce sol. Tout aurait pu être différent pour nous si de tels arbres avaient poussé dans le Midwest comme ils poussent dans l'Est – ces hêtres à la peau lisse, qui remontent au XVIIIe siècle. Dans les denses cimetières urbains, cependant, il n'y a pas beaucoup de place pour de grands arbres. Ici, on trouve des peupliers de Virginie ou des catalpas. Les fossoyeurs doivent tailler dans les racines. Dans les parois d'une tombe ouverte, on voit toujours les moignons blancs des racines coupées.

Le chauffeur fut piloté par un guide qui l'attendait après le portail. Pour les riches, de telles dispositions sont prises d'avance. Ce n'était pas un grand cimetière. Les plus petits quartiers juifs de Chicago y étaient représentés, si bien que même moi, dont les contacts avec la communauté étaient minimaux, je pouvais reconnaître bien des noms.

Amy avait suivi le conseil de Mme Adletsky et mis des bottes. Je la vis dès l'instant où j'abaissai la vitre teintée sépia. Elle tournait le dos à la route. Les fossoyeurs étaient déjà à l'œuvre et une petite grue approchait – un engin qui ressemblait à une excavatrice, songeai-je, où le chauffeur était perché sur un siège élevé. Une camionnette attendait d'emporter le cercueil de

Jay jusqu'à sa sépulture définitive. Il serait réenterré entre ses parents.

Tempête, dégel, un bref rayon de soleil, puis l'obscurité à nouveau. Un nuage aussi grand que l'Angleterre venait juste de traverser le soleil. Sous les branches nues et à travers les poignards des buissons taillés, le tas de terre enflait. Amy ne reconnut pas la limousine qui était venue la chercher le matin même, pas plus qu'elle ne s'attendait à me voir apparaître quand le chauffeur ouvrit la porte. De ma voix grave mais articulée (l'entraînement d'une vie entière à une diction soignée mais déférente : moi-même, j'hésiterais à me fier à un homme qui parlerait comme moi), j'expliquai les dispositions prises par Sigmund Adletsky. « C'était son idée », dis-je. Elle avait l'air silencieuse et réservée, un poil lugubre même. Le regard lointain, elle jetait des coups d'œil à droite et à gauche, essayant de remettre les choses en place. Étant donné les circonstances, je ne pouvais lui en vouloir. Elle était incapable de deviner combien j'en avais raconté à Adletsky à son propos. Et je pouvais facilement m'imaginer ce qu'elle voyait – mes cheveux toujours fournis, noirs et raides, et mon front étroit, incurvé comme un promontoire, puis de sombres yeux chinetoques, plutôt petits, dans ce qui est probablement la partie la plus dense de mon visage. Et, enfin, la bouche charnue de ma mère – plus charnue encore que la sienne. Mes mains étaient glissées dans les poches de ma veste, pouces au-dehors.

« Ce chauffeur est ici pour ramener ta voiture, dis-je. Je te tiendrai compagnie dans la limo...

– C'est gentil de la part de M. Adletsky », dit-elle.

J'étais sur le point de dire qu'à l'âge de quatre-vingt-douze ans, Adletsky faisait une percée dans la compassion, un domaine nouveau pour lui. Mais je me retins.

« Disons au chauffeur de garer cette rutilante machine. Comme ça, on pourra s'asseoir, à l'abri du froid. Il a toujours un sacré mordant, même fin mars. Si je baisse un peu la fenêtre, on pourra garder un œil sur ce qui se passe. »

Ainsi, nous nous installâmes, elle et moi, dans les luxueux fauteuils pivotants – d'abord en silence, mais bientôt une sorte de conversation s'engagea.

« Où en es-tu avec ton vieux père ? demandai-je.

– La maladie d'Alzheimer lui a largement rongé la cervelle. Ces dernières années, tantôt il me reconnaît, tantôt non. »

Il s'ensuivait qu'on s'attendait à le voir mourir bientôt. Si elle avait dû le mettre au frigo ou l'inhumer temporairement pendant que Jay était déménagé, les complications aurait été désagréables.

« Ma mère s'attendait à ce que papa soit enterré à ses côtés.

– Elle n'aimait pas Jay, n'est-ce pas ?

– Elle disait que les Wustrin étaient ordinaires et que Jay faisait des plaisanteries grossières. C'est à peine si elle pouvait le supporter.

– Eh bien, c'était son idée d'une plaisanterie que d'acheter la tombe de ton père – ça revenait un peu à coucher avec sa belle-mère. Le pauvre Jay était visiblement en train de mourir. Si c'était clair pour toi et moi, ça l'était encore plus pour lui. Quand je le croisais en ville, il souriait, mais il ne m'imposait pas sa compagnie. Il était devenu effacé. D'un gros homme, il avait fondu jusqu'à redevenir un gringalet. Et quand il a renoncé à son bureau, à sa clientèle, il a renoncé à la propreté.

– Tant qu'il courait la gueuse, il a continué à se pomponner, dit Amy. Mais durant tout ce temps, il projetait de me créer des ennuis.

– Afin de ne pas être oublié. Tu allais continuer à vivre, et il ne voyait pas pourquoi il ne te mijoterait pas quelques ennuis.

– Ça te fait sourire.

– Qui sait à quelles choses étranges pensent les gens quand ils songent à ce que sera la mort ? Je veux dire à la façon dont leur mort affectera les vivants. " Que sera le monde sans moi ? "

– Une idée infantile.

– Il n'aimait pas être seul. Quand on était gosses, il me forçait à venir avec lui aux toilettes.

– Et voilà qu'on passe un après-midi au cimetière avec lui, dit Amy.

– C'est un bon endroit, meilleur que bien d'autres pour les réévaluations – si tu dois réévaluer. »

Amy avait dégagé son manteau sur ses épaules ; il faisait chaud à l'intérieur de la grande limousine noire – le moteur ronronnait. Si bien que lorsqu'elle haussa les épaules, les seins moelleux sous son sweater ajoutèrent à son mouvement. « Qu'est-ce qu'il y a à réévaluer ? Pourquoi vouloir te mettre en question, même ici ? Tu as d'étranges manières, Harry. Il y a des années, quand j'ai dû songer sérieusement à toi, j'ai pris en considération tes bizarreries. Étant donné les distorsions de ta vie dans les sommets de l'intellect, il n'y avait pas une chance que tu puisses jamais avoir de l'estime pour moi. Et j'y ai bien réfléchi. J'étais amoureuse de toi. Mais jamais les opinions d'autrui n'étaient assez bonnes pour toi. Tu les rejetais. Et je me disais : Peut-être m'aime-t-il, mais je ne saurai jamais ce qu'il pense. Dans son esprit, il me rejette aussi... La case où tu me rangeais c'était : " poule petite-bourgeoise ".

– Tu ne m'avais jamais dit ça », fis-je, et je ne sus plus comment continuer. Nous nous étions passé l'un de l'autre pendant des décennies. Des dispositions séparées avaient été prises. Pendant tout ce temps, j'avais eu le sentiment que j'étais trop bizarre pour elle. Ou que, pour diverses autres raisons, elle imaginait qu'on ne pourrait jamais m'apprivoiser. Mes sentiments furent donc remisés, plus ou moins définitivement. Mais petit à petit, je commençai à comprendre quelle sorte d'emprise elle avait sur moi. Les autres femmes étaient des apparitions. Elle, et elle seule, n'était pas une apparition.

« Oui, mais j'avais plus de sentiment pour toi que tu ne l'entrevois. Ce que je ressentais était très simple. Tu me soulageais d'une comptabilité mentale en partie double, dis-je. Je me disais toujours que s'il y avait une pièce vide dans ta maison, sans rien dedans, pas même un tapis, cela me ferait du bien d'y entrer et de m'y coucher, face contre le plancher... »

Les fossoyeurs, que nous apercevions de temps à autre en nous pliant en deux pour jeter un coup d'œil par le rai de lumière, semblaient prendre leur temps. C'était un travail dont je n'étais plus capable. Creuser les maintenait en forme. Pas besoin de Nordic Track. Creuser était un travail à l'ancienne, quand les prisonniers faisaient tourner les roues et les esclaves allaient aux champs avec des fourches et des bêches.

Amy semblait méditer ce que je lui avais dit. Nous avions rarement été ensemble de la sorte. De temps à autre, nous nous retrouvions pour prendre un verre ou pour dîner, et générale- ment nous parlions du *Merchandise Mart,* de décoration, de mobilier birman et de cuivres. Je devins utile à Amy. Je m'étais porté garant d'elle auprès des Adletsky, et ils l'avaient recomman- dée à d'autres riches clients. Elle m'en était reconnaissante. Ses perspectives professionnelles étaient notre principal sujet de conversation au *Szechuan Restaurant,* au *Coco Pazzo* ou aux *Nomades.* Deux lambins qui s'aimaient depuis quarante ans, discutant d'ottomanes et de ber- gères à oreilles. Je n'avais jamais parlé de m'étendre sur son plancher.

Et maintenant, encore, n'était le fait que le cercueil de Jay était en cours d'exhumation, nous aurions pu être en train de bavarder dans un petit salon luxueux, avec des écrans de télé brillant d'un gris charbonneux, iridescent, et un petit bar, et des téléphones cellulaires.

« Madge Heisinger t'a réellement versé du thé sur les genoux ? Elle t'a brûlée ?

– Non, non. J'étais choquée mais pas réelle- ment brûlée. C'est sa manière de s'y prendre. Elle voulait avoir une conversation en privé. Elle avait une proposition pour moi, et elle s'est dit que nous devrions aller ensemble à la salle de bains, là où personne ne viendrait nous déran- ger. »

La proposition qu'entendit Amy était la sui- vante : l'argent que versaient les Adletsky pour le mobilier devait revenir à Madge. Bodo était d'accord pour qu'elle le reçoive et elle comptait l'utiliser à se mettre en affaires. Elle ouvrirait un service de liste de divorce. Le contraire d'une liste de mariage. Quand un mariage se brise, généralement l'un des deux conjoints garde tout. Le mari lésé ou l'épouse dépouillée a besoin de s'équiper des éléments de base de tout intérieur – un lit, deux chaises, un tapis, une couverture, des draps, une cafetière, une poêle, un verre à dent, des tasses, des cuillères, des serviettes, sans oublier le radio-réveil ni la télévision. Comme les employés fraîchement divorcés sont souvent agités, souffrant de stress durant des semaines ou des mois, ils fonctionnent mal, et les directeurs du personnel des grandes entreprises pourraient faire bon accueil à un tel service de liste. Cela ne coûterait rien à l'entreprise parce que vos collègues de travail ou vos associés contribueraient à un fond divorce pour amortir le choc de la dislocation, du rejet, des affres de la perte. Ce serait d'une part excellent pour le moral et de l'autre profitable pour les fournisseurs du kit de survie. Amy, avec ses contacts au *Merchandise Mart*, pourrait facilement, fiablement – régulièrement – procurer les articles nécessaires. Cela donnerait aux divorcés la parité avec les fiancés. Cela marquerait l'égalité. Cela aurait un goût démocratique. Pour une petite salle d'exposition, les frais généraux seraient minimes.

Je ris en entendant cela. « Oui, je saisis le tableau, dis-je. Bien, mais qui irait traiter avec les directeurs du personnel ? Qui se chargerait de les persuader ?

– Selon Madge, ce serait le rôle de Tom, dit Amy.

– Tom est le type qui était censé faire la peau à Bodo – c'est bien cela ?

– Oui. Madge se sent responsable. C'est elle qui l'a entraîné dans cette histoire. Il y a passé trois ans en cabane, plus les mois de préventive, de procès et d'appel. Madge dit que tout est de sa faute. Elle insiste sur sa responsabilité, sur sa *dette* à son égard.

– Tu n'as jamais vu ce Tom ?

– Comment l'aurais-je vu ? Je ne fréquente pas les gens qui traînent dans les bars. Draguer en voiture ou ramasser des types dans les rades, ce n'est pas mon truc. Il paraît que ça marche très fort dans les queues des cinémas. On peut juger de la personne qui fait la queue au genre du film. Ou à l'Art Institute, où vont traîner les types en maraude – des tombeurs qui prétendent adorer la peinture. »

Elle s'offusquait amèrement qu'on pût faire le moindre lien entre elle et la femme dont les cris avaient été enregistrés par les détectives de Jay et auditionnés au tribunal. Le juge lui restait en travers de la gorge. Tous les juges sans exception étaient vendus, disait-elle, et il serait impossible de construire une prison assez vaste pour contenir tous les juges de Chicago qui méritaient d'y être.

« Je me demande, puisque Madge établissait une relation d'affaires, si elle suggérait une rencontre. À quoi ce Tom est-il censé ressembler ?

– Tu l'as peut-être vu à la télé pendant le procès... Comme idée commerciale, ce n'est pas dépourvu d'imagination », dit Amy.

Je ne cessais de rire devant l'absurdité de tout le projet. « Mme Heisinger a des idées compliquées, dis-je. Si c'est de cette manière que l'assassinat a été préparé, pas étonnant que Bodo ait arraché le revolver des mains de Tom. Madge appartient à l'école Jay Wustrin de la réalité fantasmatique.

– Tu veux parler de ces scénarios alambiqués, complètement tirés par les cheveux. Il aimait ça, n'est-ce pas ? Dis-moi donc, Harry, qu'est-ce que tu penses de tout cela ? »

Les fossoyeurs seraient bientôt enfoncés jusqu'à la poitrine. Si Adletsky ne m'avait pas envoyé ici aujourd'hui, Amy aurait déambulé seule au milieu des pierres tombales, étudiant les noms, faisant de l'arithmétique de cimetière. Ôtez 1912 de 1987. L'air, bien que légèrement ensoleillé, était mordant.

Sous l'influence du jour et du lieu, je fis de nouvelles lectures d'Amy, révisant celles qui m'étaient familières depuis toute une vie. Par exemple, ses yeux étaient plus ronds que jamais, mais il y avait à présent en eux une sobriété enfantine. Étrange, cet air enfantin apparaissant dans la force de l'âge, d'autant que ses joues n'étaient plus parfaitement lisses et avaient perdu beaucoup de leur couleur. Mais pour l'essentiel elle restait Amy. Si on tournait la petite manivelle à grelot en disant : « Allô, le central », c'est Amy au central qui répondrait.

Elle attendait mes commentaires. Quand je bougeais, je voyais ma silhouette dans le sein gris de la télé de la limousine – les cheveux noirs et raides et le profil chinois familier et désespérément refusé. Reflété sur l'écran, j'étais corpulent. J'étais quelque part entre une ombre et le fantôme de l'un des défunts. Ayant des années durant été délibérément un mystère pour les autres, je découvre que je suis aujourd'hui incapable de dire ce qu'était le mystère ni pourquoi la mystification avait jamais été nécessaire.

Une quantité considérable de terreau avait été sortie – terre brun sombre mêlée de qualités humaines.

« Voilà ce que je pense..., dis-je.

– Sois clair. J'ai besoin de conseils avisés et précis.

– OK. Je commencerai par dire que j'adore donner des conseils. Je ne me suis rendu compte que récemment que j'avais eu des réticences à le faire. Mais j'adore conseiller. Un bon petit conseil peut me faire monter des larmes aux yeux. J'essaierai de ne pas marmonner. C'est le propre des gens qui parlent beaucoup tout seuls.

– Quand j'ai découvert qu'Adletsky t'avait choisi pour son brain-trust, je me suis rendu compte que quelque chose m'avait échappé, dit Amy.

– Ah oui ? J'ai grimpé dans ton estime ? Et pourtant nous nous connaissons depuis une vie entière, ou presque.

– Le vieil Adletsky doit penser que tu peux m'aider – que tu veux m'aider.

– Et que je suis un compagnon idéal pour une exhumation.

– Je n'arrive vraiment pas à me faire à ce mot. Il n'a cessé de revenir quand j'ai fait les papiers. Parlons plutôt de réenterrement... Je ne pense pas que quiconque ait connu Jay plus longtemps que toi.

– Envisages-tu d'accepter la proposition de Madge ?

– Est-ce que tu crois que le vieux bonhomme s'est rendu compte que Madge m'a renversé du thé dessus parce qu'elle voulait que nous soyons seules pour un entretien en privé ?

– Il a l'esprit très vif pour faire des rapprochements. N'importe comment, il a eu l'intuition de mes sentiments à ton égard. Il a saisi quelques indices subliminaux...

– S'il te plaît, Harry – plus fort. L'essentiel de

tes communications est tourné vers l'intérieur, si bien que même quand tu es avec quelqu'un d'autre tu parles plus qu'à moitié pour toi-même. »

Je réfléchis très vite, et je mets en forme ces réflexions tout aussi vite. Mais la parole a du mal à suivre. Ce sont peut-être les lèvres charnues qui rendent l'articulation difficile.

« Pour en terminer avec Adletsky. J'ai depuis toujours un sentiment très élémentaire envers toi, Amy. C'est quelque chose qu'il est impossible de cacher à un observateur averti. Dans mes sentiments, j'ai toujours eu une ligne directe ouverte avec toi. Cela vient de ma nature, pas de mon caractère. Mon caractère est compromis. Mais même un caractère compromis – d'accord : mutilé – ne saurait changer ma nature.

– Je ne te suis pas exactement, mais le vieil Adletsky a-t-il été capable de repérer quelque chose d'aussi profondément enfoui ? »

Je répondis : « Tu n'ignores pas qu'en traitant avec quelqu'un comme Madge Heisinger, tu dois être prête à toutes sortes de perversités. Tu ne peux pas te reposer sur le versant commercial de la relation – de la relation proposée. Tu dois considérer la proposition séparément.

– La séparer de quoi ?

– Allons, est-ce une femme d'affaires ? Ou est-ce une psychopathe, une folle, une asociale, une criminelle ?

– Je te comprends à cent pour cent, dit Amy. À ton avis, juste histoire de savoir, à quoi ça rime ?

– Je vois la logique qui l'anime, dis-je.

– Je n'en trouve aucune.

– Il nous faut voir son idée comme elle la voit : parce que, parce que, parce que. Donc, pour ça... quand tu es en prison, au milieu de femmes qui se racontent leur vie les unes aux autres, cela peut faire naître une envie d'en tirer du bien, de l'extraire de tout ce mal, et dans notre pays quelque chose de bien c'est généralement une idée commerciale – la vision d'une entreprise rentable. En d'autres termes : " Qu'est-ce que ça donnerait si... ? " ou " Ça, c'est une idée à un million de dollars ! " Ainsi tes aberrations te mènent à une conclusion qui te met au service de ton pays et te rend à ta civilisation. »

Je ne saurais jurer qu'Amy me suivait. Avec le temps, elle avait probablement appris à passer soixante pour cent de ce que je disais à la trappe. En tant qu'ami de la famille, je pérorais fréquemment à la table des Wustrin.

« Elle allait convaincre Bodo de la sortir de prison. Ils repartiraient tous deux sur de nouvelles bases, dis-je. Bodo pourrait proclamer combien c'était généreux de sa part de la laisser sortir – combien c'était grand. Et aussi combien il était courageux de la reprendre. En plus, c'était un stimulant pour l'amour. Voilà un type qui n'avait pas froid aux yeux, au cœur débordant d'amour. Il avait confiance en sa virilité et le montrait en réépousant Madge. C'était une belle opération de communication aussi – deux millions de dollars de publicité gratuite. Et il n'est pas ballot. Sauf qu'il s'imagine avoir plus d'envergure que personne ne l'aurait jamais soupçonné.

– Mais la liste de divorce de Madge ? me rappela Amy.

– Combien de détenues dans l'aile des femmes avaient été mariées plus d'une fois ?

– Y aurait-il eu une femme dans la prison qui aurait inventé cette idée ? N'est-il pas possible aussi que le type de Madge, Tom, ait eu cette idée que les couples en instance de divorce, commes les fiancés, déposent une liste de cadeaux ? Et que eux puissent exploiter le filon ?

– C'est possible, n'est-ce pas, dis-je. Cela expliquerait aussi pourquoi il fallait qu'il ait sa place.

– Et elle pense qu'elle n'a rien à craindre de moi du côté de son petit ami. Je suis trop vieille pour lui, dit Amy.

– Plusieurs possibilités s'ensuivent. Cela pourrait être une affaire chic. À la mode, je veux dire. Cela attirera l'attention parce que c'est ingénieux, parce qu'il y a un tour comique lié à la coutume des listes de mariage. Les journaux s'en saisiront. La télé aussi. Si des amis peuvent offrir des cadeaux de mariage, ils peuvent aussi se manifester quand ça tourne à l'aigre.

— Aurais-tu une idée du rôle que veut me faire jouer Madge là-dedans ?

— Je crois que oui..., dis-je, aguicheur.

— Alors vas-y.

— Elle a participé à une tentative de meurtre. Tu a été impliquée dans un divorce qui a fait du bruit. Tu as été lessivée par Jay...

— Ah, ça oui ! Il ne me restait même plus une seule tasse à café. Ajoute-moi à ces deux ex-taulards et on formerait un beau trio de monstres dans une petite salle d'exposition du *Merchandise Mart*, avec des bureaux, des lumières vives et des téléphones. Ça m'a fait rire quand Madge m'a décrit tout ça. Elle parlait d'émissions de télé. Pourquoi pas celle d'Oprah Winfrey ? Elle est tellement tyrannique et folle que je me suis dit que pour cette raison même ça pourrait rapporter.

— Les jeunes cadres pourraient y trouver leur pied. Cela suggère un style de vie contre-culturel et sophistiqué.

— Tu as parfaitement raison, Harry.

— Et tu serais irremplaçable pour Madge. Tu attirerais les éditorialistes et les reporters. Les talk-shows se damneraient pour t'avoir. *Vanity Fair* et des magazines comme *Hustler* te poursuivraient.

— Je ne le supporterais pas, dit Amy.

— Eh bien, au xviiie siècle, un auteur sérieux parlait de " gaieté libertine et tumultueuse ", et aussi des " vices de l'inconstance ". Il s'agit peut-être d'Adam Smith. Je serais surpris si Madge n'était pas sur cette voie. »

Les yeux écarquillés, Amy me dévisagea, puis son regard se perdit dans mon dos. Bientôt elle dit : « Je ne saurais pouvoir... Naturellement, je serais le troisième membre d'une équipe scandaleuse. Madge ferait de moi exactement cela. J'en ai perçu la vérité aussitôt que tu l'as dit.

– Tu aurais trouvé toi-même, à brève échéance.

– Oui, mais peut-être pas à temps.

– Eh bien, je suis heureux d'avoir pu mettre en perspective cette brillante proposition. Un commentaire, si tu me permets de le faire, c'est que les marchandises sont toujours disponibles – toute la batterie de cuisine, les radio-réveils, les draps de lit, les postes de télé, les machines à café... Des articles jusqu'à l'horizon. Il y a suffisamment de tout pour tout le monde. L'ordre social est à ce point productif et prospère. Le processus entier a démarré avec le postulat que la conquête de la nature allait être le fin du fin de l'âge moderne... »

En m'écoutant, Amy baissa peu à peu la tête, comme pour se montrer particulièrement attentive – ou peut-être pour me laisser pérorer à ma guise, pour attendre que j'en eusse fini. J'avais toujours tenu de pareils propos. Quand nous étions plus jeunes, Amy disait souvent : « Et voilà que c'est reparti. » Je crois qu'elle n'aimait pas –

qu'elle haïssait positivement par moments – de telles remarques sur l'ordre social ou l'âge moderne. Elles la réduisaient à un rang intellectuel inférieur. Quand je donnais voix à mes vues les plus profondes, elle attendait que j'en finisse. Elle avait de l'indulgence pour ce vice sans conséquence. Ces observations semblaient mériter d'être faites et je ne savais me retenir de les émettre. Parfois, je ne résistais pas à la tentation de les éprouver à la table du dîner.

« Jay t'a emprunté cette habitude, Harry, s'était-elle plainte un jour. À l'époque où nous habitions le North Side, au début de notre mariage. Et tout particulièrement quand il passait des disques de Bartók, il calait son cul contre le montant de la cheminée, s'accoudait au manteau et commençait à me citer son T. S. Eliot. Et, comme tu le sais, je ne suis pas de ces femmes qui ont vocation à la profondeur. Il n'y a jamais rien eu de métaphysique chez moi. J'ai un QI moyen-plus, c'est tout. »

Mais les fossoyeurs faisaient à présent signe au type qui manœuvrait la grue, et son engin se rapprocha du bord de la tombe.

« Je pense qu'ils sont sur le point de commencer, dis-je.

– Je croyais que cela prendrait beaucoup plus de temps.

– Jay n'est pas resté longtemps ici. Pas à

l'échelle d'un cimetière. Le sol n'a pas eu le temps de durcir. »

Les pneus de tracteur imprimaient leur marque dans la terre fraîche. Une sorte de motif de feuilles de laurier. L'habile petite machine s'immobilisa dans un tas de terre funéraire brun sombre et le conducteur descendit pour caler les roues. Des sangles furent fixées au cercueil et le palan attaché. L'homme qui se pencha pour ce faire était inhabituellement long d'échine. Il s'avéra être aussi court sur pattes. Quand il recula et se redressa, il n'était pas si grand. Le moteur démarra et un coin du cercueil gris bleu sortit de la tombe. Les ouvriers le redressèrent alors qu'il s'élevait, dégoulinant de terre. Des images non désirées de ce qu'il contenait me traversèrent l'esprit : le corps vêtu de son costume d'homme d'affaires, le beau visage symétrique – cyanotique, chlorotique, livide. Peut-être un crayon oublié dans une poche. Peut-être les chaussures étaient-elles lacées, nouées même. Peut-être le mort avait-il une érection.

Le chauffeur vint à la portière de la limousine pour aider Amy à sortir. Je me tenais derrière elle, les mains serrées dans le dos.

C'était la volonté théâtrale de Jay que de ressortir de la tombe. C'était la raison pour laquelle il avait conclu ce marché avec le père d'Amy. Gosses, cinquante ans plus tôt, lui et moi avions vu tant de films d'épouvante avec Boris Karloff ou Bela Lugosi. Mornes cimetières dans les Carpathes, sombres châteaux à l'arrière-plan. Lorsque le comte de Monte-Cristo s'évadait du château d'If, Jay, qui était au comble de l'excitation, me dit que j'étais insensible. Ma réponse fut : « Je ne vais pas les laisser m'imposer toutes sortes de sentiments.

– C'est *moi* qui ai du cœur, déclara Jay. Toi, tu es trop détaché. »

Dans la limousine extralongue, un monde en soi, tout autant dans le cimetière que sur Michigan Boulevard, nous suivîmes lentement le fourgon. « Tout cela est l'idée de Jay. C'est *lui* qui nous a faits sortir ici par cette journée d'hiver, dit Amy. Même si ces dernières années il était si maigre, si faible. Il cherchait des visages familiers et les gens faisaient semblant de ne pas le voir, ce qui normalement l'aurait rendu furieux...

– J'avoue l'avoir évité, moi aussi.

– Pourquoi donc ?

– Une question financière. De l'argent de Birmanie qu'il devait garder pour moi. Je n'étais pas censé posséder cet argent, et je l'avais envoyé via un messager. Il a signé des reçus en le prenant. Puis, quand je le lui ai demandé, il m'a dit qu'il devrait me rembourser petit à petit.

– C'est la première fois que j'entends parler de ça.

– Aucune raison que tu sois au courant. Et en fait Jay était un ami généreux. Il n'oubliait jamais mon anniversaire. Il me faisait de beaux cadeaux – un magnifique coffret du *Platon* de Jowett, et le *Déclin et la chute* de Gibbon dans une édition ancienne. Je les ai toujours, je les lis. Parfois, j'essaie de raconter aux gens ce qu'ils contiennent.

– Parle-moi de l'argent de Birmanie...

– C'étaient des bêtises. N'épiloguons pas.

– C'est toi qui décides, dit Amy. Mais son corps devait être déplacé. Je ne pouvais pas permettre que mes parents soient séparés. Ma mère ne me l'aurait jamais pardonné. Et si mon père avait perdu la boule ? Après cinquante ans de lit conjugal, elle souhaitait que ce soit éternel. »

Tout comme Amy et Jay avaient dormi nus ensemble durant des décennies, inhalant mutuellement leurs odeurs corporelles, ses mains de femme habituées à la pilosité de son corps d'homme. Même la crème de nuit d'Amy et les grognements nocturnes de Jay y participaient. Et des morceaux de savon partagés, des placards à vêtements, des dîners – un tel complexe d'intimités.

On peut accorder trop d'importance à de tels détails. Les habitudes bourgeoises n'ont aucun titre à être sanctifiées ou promises à l'éternité. Tout cela est bon pour la foule, et la foule n'a jamais vraiment été mon genre. J'ai toujours été un juge plutôt strict des gens. Surtout quand ils avaient une trop haute opinion d'eux-mêmes –

qu'ils étaient fiers de leur intelligence ou croyaient savoir tout ce qu'il y avait à savoir sur l'Empire britannique ou la constitution des États-Unis – je les réduisais au silence, sans faire de quartier, sans pitié. Alors pourquoi aurais-je dû mollir sur Jay Wustrin ! Il avait épousé la seule femme que j'eusse jamais aimée, et il avait fait un ratage complet de leur vie commune.

Alors...

Nous sommes, pour le moment, les vivants, estropiés et déficients. Et, aujourd'hui, dans un cadre étrange – roulant dans la limousine extra-longue d'un multimilliardaire, le genre qui a des vitres teintées et une antenne télé en forme de boomerang montée sur le coffre. Et suivant les restes d'un vieux copain qui, pour un temps (deux heures), a trouvé moyen de s'évader de la tombe.

N'importe laquelle des pierres tombales que nous passions mais ne pouvions voir à travers la barrière isolante des vitres fumées de la limousine aurait pu être celle de mon père (ma mère était enterrée en Arizona). Vous n'attendriez pas d'une personnalité telle que la mienne qu'elle versât dans la piété familiale. Je n'étais pas venu au cimetière depuis des années et des années.

Tout autour, nos voisins et certains de nos condisciples reposaient sous terre.

Si je dois faire quelque chose avant que mon

tour ne vienne, me dis-je, j'aurais intérêt à m'y mettre.

« Tout a été arrangé ? Pour Jay, je veux dire. Si nous arrivions avec son cercueil et qu'aucune tombe ne nous attendait...

– Oh, elle a été creusée. Je m'en suis occupée... Ce qui me donnait du souci, c'était l'idée que le cercueil puisse s'ouvrir au moment où on le soulevait. Je pensais que le corps risquait de tomber.

– Ça m'a traversé l'esprit aussi, dis-je. Mais ça ne risquait pas d'arriver. Ces types connaissent leur boulot. C'est de la routine, et ils ont tout l'équipement nécessaire. Ils passent ces sangles autour du cercueil, puis le petit engin démarre et une minute plus tard le cercueil repose sur le sol... Tu as l'air de penser à quelque chose de spécial, Amy.

– Quelque chose comme les chaises musicales, comme on y jouait au jardin d'enfants, répondit-elle. Quand le piano s'arrêtait, on s'asseyait sur une chaise vide. Se faire enterrer dans la tombe de mon père était l'idée que se faisait Jay d'un trait d'esprit. »

Et comment *moi*, je prenais place dans ce tableau ? Mes cheveux noirs et raides, rarement coupés, mes lèvres charnues. Oui, et ces jarrets concaves que l'on voit sans arrêt en feuilletant Hokusai. J'avais un gros livre de ses dessins dans mon bureau de Van Buren Street. Pourtant Amy et moi, quand nous étions au lycée, avions souvent eu des séances de pelotage, comme on disait. Elle m'avait bien aimé à l'époque. Nous nous embrassions comme des fous et nous serrions l'un contre l'autre. J'enfouissais mon visage dans l'humidité musquée de la fourrure de marmotte.

« Il y a une question qu'il faut que je te pose, Harry, dit Amy. J'essaie de me retenir, mais je ne peux m'empêcher de te la poser une fois de plus. Je n'ai jamais eu de réponse satisfaisante. M'as-tu ou non écoutée sur la bande ? »

Je retins mon souffle le temps de quelques battements de cœur, comme le menteur chevronné que je suis. Je niai encore une fois. Mais parfois la vérité s'accroche à vos mensonges les plus adroits. Je vis qu'elle ne me croyait pas, alors je passai à ce qui était plus important. Je dis : « Écouter n'aurait pas changé une vie entière de sentiments. D'abord tu as épousé Berner et tu as eu des enfants de lui. Nous avons été sous la douche ensemble.

– Oui.

– Jay avait une femme alors. Tu étais toujours mariée avec Berner. À peine un an plus tôt, je m'étais enfui avec Mary. Avant que je ne m'en rende compte, tu étais la femme de Jay. Mes sentiments pour toi sont restés ce qu'ils étaient.

– Bien qu'il y ait eu d'autres hommes encore, tu veux dire », dit Amy.

Non. Seul l'homme de New York l'avait fait ainsi crier sur la bande. D'autres hommes, il n'y avait aucune trace.

« Eh bien, la jeune femme de la douche était déjà une jeune femme pleine d'expérience. » Je ne voulais pas débattre de ce sujet. Mon but était de dépasser tout cela.

« Il n'y aurait aucun moyen de le nier... Mais tu m'aimais.

– Après quarante ans de réflexion, la meilleure description que j'ai pu trouver était une " véritable affinité ".

– Tu n'as jamais rien voulu savoir de la manière dont les gens parlaient, ou parlent. Tout doit être traduit dans ton propre langage. Mais qu'est-ce qui la rendait véritable ?

– D'autres femmes pouvaient me faire penser à toi, mais il n'y avait qu'une seule véritable Amy.

– Mais ce que tu as entendu sur la bande qui m'a fait condamner était véritablement ma voix. Ton affinité hurlait. »

Je fis un effort particulier pour parler doucement, disant : « Eh bien, nous comprenons tous ce qu'est notre condition. C'est un âge de libération. C'est comme un grand bateau, et les passagers ne cessent d'affluer à babord ou de se précipiter à tribord, prêts à chavirer. Jamais également répartis. Actuellement, nous sommes concentrés sur la gauche, le côté babord. Jay était un leader dans la course à la libération. Par conséquent il aurait dû s'attendre à ce que tu lui rendes la pareille.

– Est-ce de cela qu'il est question quand on parle de la révolution sexuelle ? Mais à quoi cela te mène-t-il avec ta véritable affinité ?

– Je ne peux pas dire à quoi cela me mène, mais c'est la seule chose qui m'importe réellement. »

Ses pensées revinrent à la tombe achetée un demi-siècle plus tôt et laissée ouverte, réservée à Jay. Il reposerait au côté de son père. « Je me demande bien pourquoi sa mère lui faisait tellement honte.

– Il s'était convaincu que ses propres limitations lui venaient d'elle, répondis-je. Il disait toujours : " On devrait pouvoir divorcer de sa mère aussi. " Son père était un vieux bonhomme malicieux et blagueur. Le vieux Wustrin avait un esprit extrêmement vif. Mais il est mort à soixante ans. Elle était un obstacle pour Jay. Elle trahissait son jeu. »

On pouvait s'imaginer Jay Wustrin, couché dans le fourgon qui nous précédait, confirmant cette opinion. Être au cœur de la conversation l'aurait rendu tellement heureux. En se faisant enterrer au côté de sa belle-mère, il asticotait son petit monde. Il y avait de quoi se demander s'il comprenait vraiment ce qu'était la mort, puisque par-delà la mort, il essayait encore de faire sentir sa présence. Pour ma part, mon avis était que l'éternité réduirait à néant toutes les pulsions humaines. L'éternité vous dégoûterait d'exister.

« Je me sens mal à l'aise dans cette méga-limousine, dit Amy. Rouler là-dedans fait trop penser à une procession funéraire. C'était pareil ce matin, en allant chez les Heisinger.

– On peut s'en débarrasser et rentrer en taxi. »

Bien sûr, la route de terre avec ses nids de poule n'était rien pour cet impérial monstre de moelleux qui nous transportait. On n'entendait même pas les pneus. J'aurais aimé qu'en un certain sens ma maîtrise de moi-même fût aussi bonne que les amortisseurs et le moteur contrôlé électroniquement. Toutes les ressources habituelles m'avaient abandonné et je me retrouvais à nu, avec mes cheveux noirs raides, mes larges joues, et mes grosses lèvres muettes. Je m'étais entraîné à ne rien trahir. À cet instant, j'étais vulnérable car visible. Mais Amy ne me regardait pas.

« Je ne me sens pas coupable envers Jay, dit-elle. En un certain sens, non.

– Je crois qu'il a passé les bandes à tous ceux sur qui il pouvait mettre la main, pour montrer qu'il était un homme de trop d'envergure pour en être blessé. Mais il l'était quand même.

– On s'arrête », dit Amy.

À présent que nous étions arrivés, son besoin de descendre était pressant. Elle n'attendit pas le chauffeur. Elle poussa la portière et alla fouler le pâle gazon de mars. Son épais manteau était entièrement boutonné. Je me demandai si elle porterait un manteau en marmotte au cas où je lui en achèterais un.

Je la suivis jusqu'à la nouvelle tombe. Elle était soigneusement préparée. On y retrouvait les sangles, prêtes à accueillir le cercueil. Je regardai les photographies ovales serties dans les pierres tombales. Le vieux Wustrin portait la fine moustache de mes souvenirs et un col montant à l'ancienne mode. Il tenait la tête penchée à un angle intelligent. La mère de Jay était photographiée dans une robe de soie, avec une frange droite sur son visage accueillant. Venez, venez tous. Mais elle était indifférente à tout le monde. Elle continuait à n'avoir d'intérêt que pour son seul fils.

J'offris mon mouchoir à Amy. Elle ne sécha pas ses larmes, mais s'en couvrit la bouche.

L'arrière du fourgon s'ouvrit et le cercueil en fut extrait. À ma surprise, le chauffeur se proposa comme porteur. Aucune prière ne fut dite, aucune cérémonie n'avait été organisée. Le cercueil fut installé. Un bouton fut pressé et la petite machine habile, souple et silencieuse entra en action. Quand le cercueil toucha le fond, les fossoyeurs tirèrent les sangles et ramassèrent les pelles qu'ils avaient plantées dans la terre.

Je m'écartai de moi-même et regardai dans le visage d'Amy. Personne d'autre sur cette terre

n'avait de tels traits. C'*était la* chose la plus étonnante dans la vie du monde.

Le cercueil attendait toujours d'être recou-
vert. Et la grue trépida, puis vrombit et bondit en
avant abruptement, imprimant derrière elle de
nouvelles traces en feuilles de laurier. Prenant
Amy par la main, je dis : « Ce n'est pas le meilleur
moment pour une offre de mariage. Mais si c'est
une erreur, ce ne sera pas la première que j'aurai
commise avec toi. Le moment est venu de faire
ce que je fais à présent, et j'espère que tu voudras
de moi. »

Achevé d'imprimer
sur Roto-Page
par l'Imprimerie Floch
à Mayenne, le 19 décembre 1997.
Dépôt légal : décembre 1997.
Numéro d'imprimeur : 42333.

ISBN 2-07-074838-3 / Imprimé en France.